Erhard Dietl, 1953 in Regensburg geboren, hat schon als Kind gern Geschichten geschrieben und gezeichnet. Er studierte Kunst und wurde freier Schriftsteller und Illustrator, mit großem nationalem und internationalem Erfolg. Er hat bisher rund hundert Kinderbücher veröffentlicht, für die er u. a. von der Stiftung Buchkunst und mit dem Saarländischen sowie dem Österreichischen Kinder- und Jugendbuchpreis ausgezeichnet wurde. Zu seinen erfolgreichsten Figuren gehören die anarchischen Olchis, die sogar Büchermuffel zum Lesen und Lachen bringen. Auch Erhard Dietls Serie über Gustav Gorky, den Außerirdischen, bereitet ihren Lesern viel Vergnügen – ganz besonders den Olchi-Fans!

Erhard Dietl

Die Olchis

und die Gully-Detektive von London

Verlag Friedrich Oetinger · Hamburg

Mehr über die Olchis in den Kinderbüchern:

Das geheime Olchi-Experiment
Die Olchis fliegen zum Mond
Die Olchis im Bann des Magiers
Die Olchis und der karierte Tigerhai
Die Olchis und die grüne Mumie
Die Olchis und die Teufelshöhle
Die Olchis. Allerhand und mehr (Sammelband)

Außerdem gibt es Olchiges in Bilderbüchern, in zahlreichen Bänden der Erstlesereihe »Büchersterne« und in Hörbüchern. Muffelfurzfreche Schulanfänger haben viel Freude mit den Olchis in Beschäftigungsheften und Lernhilfen, und nach getaner Arbeit bietet »Das oberolchige Partybuch« viele coole Tipps zum Feiern. Material für PädagogInnen zum Thema findet sich unter www.vgo-schule.de.

MIX
Papier aus verantwortungsvollen Quellen
FSC
www.fsc.org   FSC® C002795

© Verlag Friedrich Oetinger GmbH, Hamburg 2013
Alle Rechte vorbehalten
Einband und Illustrationen von Erhard Dietl
Satz: Das Herstellungsbüro, Hamburg
Druck und Bindung: Livionia Print, Lettland
Printed 2014
ISBN 978-3-7891-3331-2

www.olchis.de
www.erhard-dietl.de
www.oetinger.de

Inhalt

So sind die Olchis

Kennst du die Olchis schon? Alles, was du über die
kleinen grünen Stinkerlinge wissen musst, habe ich hier
noch einmal zusammengefasst:
In dem schönen Städtchen Schmuddelfing gibt es eine
herrliche Müllkippe. Dort landet alles, was die Schmuddelfinger wegwerfen: alte Schuhe, Klobrillen, Autoreifen,
Dosen, Flaschen, Plastikmüll, kaputte Fernseher und
Kühlschränke und weiß der Kuckuck, was sonst noch
alles.
Auf diesem krötigen Müllberg hat sich die Olchi-Familie
eine kuschelige Muffelhöhle gebaut. Olchi-Mama, Olchi-
Papa, Olchi-Opa, Olchi-Oma, die beiden Olchi-Kinder und
das Olchi-Baby.
Die sieben Olchis führen hier ein sehr angenehmes
Leben. Oft grölen sie ihre schrägen Olchi-Lieder so laut
und falsch, dass sich die Ratten unter den schimmeligen
Matratzen die kleinen Ohren zuhalten. Und wenn es
regnet, freuen sich die Olchis. Sie nehmen entspannen-
de Schlammbäder, hüpfen in den matschigen Pfützen
herum, und die Olchi-Kinder werfen sich fette Matschknödel auf ihre Knubbelnasen.

Jeden Tag verschmutzt Olchi-Mama gründlich die Höhle,
damit sie schön gemütlich ist. Sie wirft eine Schaufel
Staub hinein, haut ein paar faule Eier in die Duftlampe,
und wenn sie damit fertig ist, kocht sie einen kräftigen
Schmuddeltopf. Mit Schnürsenkeln, rostigen Nägeln,
Fischgräten und Dosenscheibchen. Und zum Nachtisch
gibt's verbrannten Stinkerkuchen mit Sägemehl.
Alle Olchis haben einen gesunden Appetit, und ihre harten Zähne knacken sogar Plastik, Glas, Holz und Metall.
Doch am liebsten mögen sie faulige, rostige, ranzige und
vergammelte Sachen. Olchi-Opa freut sich jedes Mal,
wenn er irgendwo ein bisschen ranziges Fahrradöl auf-
treiben konnte, denn das ist sein Lieblingsessen.
Obwohl die Olchis so merkwürdige Sachen verdrücken,

bekommen sie nie Bauchweh. Nur wenn sie versehentlich etwas Frisches erwischen, geht es ihnen schlecht, und sie bekommen überall bunte Flecken.

Die Olchis sind zwar klein, aber trotzdem unglaublich stark. Ihre Muskeln sind so hart wie Eisen, und einen schweren Autoreifen können sie locker fünfzig Meter weit durch die Gegend pfeffern.

Hin und wieder rülpsen und pupsen sie laut und kräftig. Das ist ein gutes Zeichen, denn dann fühlen sie sich so richtig wohl und zufrieden.

Sie mögen alle Arten von Gemüffel und Gestank, und naturgemäß waschen sie sich nie. Frisches Wasser vermeiden sie, so gut es geht. Auch vom Zähneputzen halten sie leider nicht viel. Ihr olchiger Mundgeruch ist für

9

normale Menschen kaum auszuhalten. Wenn sie gähnen, stürzen die Fliegen ab und fallen tot auf den Fußboden. Auf dem Kopf haben die Olchis drei Hörhörner. Damit hören sie die Gänseblümchen wachsen und die Regenwürmer husten. Mit dem mittleren Hörhorn können sie alle Sprachen der Welt verstehen, was sehr praktisch ist, wenn sie mal auf Reisen sind.

Ihre Haustiere sind die Ratten, Mäuse, Schnecken und Kröten und natürlich Flutschi, die Fledermaus, und der dicke Drache Feuerstuhl. Auf seinem breiten Rücken können die Olchis durch die Gegend düsen, wie es ihnen gefällt. Besonders die beiden Olchi-Kinder haben einen

Riesenspaß dabei, wenn der Drache Feuerstuhl hoch oben in der Luft seine Loopings macht.

»Wenn der Olchi-Drache knattert, dem Olchi-Kind die Hose flattert!«, dichtet Olchi-Opa, der für jede Gelegenheit ein krötiges Gedicht auf Lager hat.

Er ist nicht mehr der Jüngste, aber immer noch topfit, und schafft mindestens 255 Liegestütze mit einer Hand. Inzwischen hat er 985 Jahre auf dem Buckel, denn alle Olchis werden steinalt. Die Olchi-Kinder sind 45, und das Olchi-Baby ist schon zwölf.

Geburtstag feiern sie, wann sie wollen und sooft sie wollen. Olchi-Oma hat manchmal sogar drei Mal in der Woche Gefurztag!

Aber nicht nur in Schmuddelfing gibt es Olchis.

Sogar oben auf dem Mond findet man kleine gelbe Olchis in den tiefen Kratern. Und in der großen Stadt London leben zwei ganz besondere Olchis. Die beiden werdet ihr gleich näher kennenlernen.

Das war jetzt das Wichtigste über die Olchis, und ich hoffe, ich habe nichts vergessen. Nur eins noch: In unserer Geschichte kommen manchmal englische Wörter vor. Falls du keine Hörhörner hast, mit denen du alle Sprachen der Welt verstehen kannst, findest du die Übersetzungen hinten im Buch.

Und nun kann das olchige Abenteuer auch schon losgehen!

11

Das Gully-Büro

Fritzi Federspiel strich sich eine nasse Haarsträhne aus dem Gesicht. Sie hatte den Mantelkragen hochgeklappt, aber trotzdem fröstelte sie in der feuchtkalten Januarluft.

»Was für ein mistiges Sauwetter!«, murmelte sie. Ein schwarzes Taxi fuhr mit hoher Geschwindigkeit durch eine Pfütze. Gerade noch konnte sie ausweichen. In der Hand trug Fritzi eine Einkaufstüte, darin waren Bananen, Joghurt, Toastbrot, Käse und vier Tafeln dunkle Schokolade.

Mit schnellen Schritten überquerte sie die befahrene Straße und bog in eine ruhige Seitengasse ein. Die nassen Pflastersteine glänzten im Schein einer Laterne, und neben der alten Steinmauer huschte etwas Graues hinter eine Mülltonne. Fritzi zuckte erschrocken zusammen.

»Ach du verwanzte Ratte!«, stieß sie aus.

Hier in der großen Stadt London gab es angeblich über sieben Millionen Ratten. Fritzi hatte eigentlich keine Angst vor Ratten. Trotzdem erschrak sie jedes Mal, wenn ihr eine über den Weg lief.

In der Mitte der dunklen Gasse blieb sie stehen und

blickte sich um. Kein Mensch war zu sehen. Sie stellte ihre Einkaufstüte ab, dann öffnete sie einen Gullydeckel. Sie stieg in die runde Öffnung, zog den schweren Deckel hinter sich zu und kletterte über eine schmale Eisenleiter hinunter in den finsteren Kanal.

Fritzi knipste ihre kleine Taschenlampe an. Hier unten war es so eng, dass sie ein wenig den Kopf einziehen musste. Trotzdem ging sie mit sicheren Schritten durch das feuchte Labyrinth, denn diesen Weg war sie schon oft gegangen, und sie kannte sich gut aus.

Sie bog nach rechts ab und machte einen langen Schritt über einen kleinen Seitenkanal, in dem ein schmutziges Rinnsal floss. Der Schein ihrer Lampe traf auf zwei weitere dunkelgraue Ratten, die an der Wand entlangflitzten und sich in Sicherheit brachten.

Endlich kam Fritzi in einen breiteren Gang, in dem sie bequem aufrecht gehen konnte.

»Hallo, Mister Paddock!«, rief sie. »Bin wieder da!«

Der Gang führte hinüber zu Mister Paddocks Büro. Paddock war ein grüner Olchi, der in London als Privatdetektiv arbeitete.

Fritzi Federspiel wohnte nun schon eine ganze Weile bei ihm. Aber an die modrig-feuchte Umgebung hier unten hatte sie sich immer noch nicht richtig gewöhnt. Oft dachte sie mit Wehmut an das sonnige Gammelsberg, wo sie lange Zeit als Assistentin von Professor Brausewein gearbeitet hatte. Brausewein war ein berühmter Erfinder,

und in seinem Eisenbahnwagen-Labor am Gammels-
berger Bahnhof hatte Fritzi eine Menge gelernt. Besonders über das Leben von Olchis wusste sie seitdem sehr
gut Bescheid. Gammelsberg war nämlich der Nachbarort
von Schmuddelfing, wo bekanntlich die Olchi-Familie auf
ihrer krötigen Müllkippe lebt.

Fritzi fand Olchi-Kunde sehr spannend, und sie studierte
mit großem Eifer das olchige Leben und alles, was damit
zusammenhing. Irgendwann einmal, hoffte sie, würde
sie ein großes wissenschaftliches Werk über die Olchis
schreiben.

Eines Tages hatte ihr Brausewein erzählt, dass es auch
in England Olchis gab. Durch seine Vermittlung war sie
schließlich hier im grauen London gelandet. Im unter-
irdischen Kanalbüro von Mister Paddock.

Hier bei Mister Paddock konnte sie aufregende neue
Olchi-Erfahrungen sammeln. Sie durfte sich im Detektivbüro nützlich machen, und weil sie sich so gut auskannte
mit moderner Computertechnik, war sie Paddock tatsächlich eine große Hilfe.

Doch so aufregend Fritzi das alles fand, London war
eine ziemlich riesige Stadt und mindestens 1300 Kilo-
meter von Schmuddelfing entfernt. Deshalb hatte Fritzi
öfters schreckliches Heimweh. Und immer wenn das
Heimweh kam, musste sie sich Schokolade kaufen. Vier
Tafeln mindestens, denn Schokolade war das Einzige,
was bei ihr gegen Heimweh half.

»Hallo, Mister Paddock!«, rief sie noch einmal, als sie die Tür zum Büro öffnete.

Der alte Detektiv saß auf einem rostigen Ölfass. Er hatte seine dicke grüne Knubbelnase in eine Zeitung gesteckt, wie immer auf der Suche nach interessanten Kriminalfällen.

Auch heute trug er wieder seine altmodischen Gamaschenschuhe und den geflickten karierten Mantel. Seinen Hut, eine schwarze Melone, hatte er abgelegt. Obwohl

Mister Paddock ein Olchi war, achtete er stets auf sein Äußeres. Gute Kleidung war ihm wichtig, doch selbstverständlich musste sie immer schön verschmuddelt sein. Sein fauler Gehilfe Dumpy lag wieder mal in der Ecke auf dem verschlissenen Sofa und schnarchte laut vor sich hin. Auch Dumpy war ein grüner Olchi. Er hatte seine schmuddelige Mütze tief ins Gesicht gezogen, und eine rostige Dose voll Tee stand oben auf seinem runden Olchi-Bauch. In der Dose hing anstelle eines Teebeutels eine alte Fischgräte, und bei jedem Atemzug schwankte sie gefährlich hin und her.

»Well, gut, dass du kommst, Fritzi, my dear«, sagte Mister Paddock. »Es ist Zeit für den Fünfuhrtee!«

»Für mich bitte keinen Tee«, rief Fritzi. Auch wenn sie den englischen Brauch, um Punkt fünf am Nachmittag Tee zu trinken, eigentlich mochte, konnte sie sich mit Paddocks Schmuddeltee einfach nicht recht anfreunden.

»Du musst bei Professor Brausewein nach meiner Bestellung fragen, o. k.?«, sagte Mister Paddock.

»Mach ich gleich!«, antwortete Fritzi.

Sie stellte ihre Tüte mit den Einkäufen auf ein zweites Ölfass und setzte sich an den Computer. Die Internetverbindung hier unten in dem stillgelegten Abwasserkanal war nicht gerade die beste. Es dauerte eine ganze Weile, bis sie Kontakt zu Brausewein bekam.

Endlich erschien das Gesicht des Professors auf dem Bildschirm.

»Na so was! Fritzi!«, rief Brausewein erfreut. »Wie geht
es dir? Hältst du es noch aus in deinem feuchtfröhlichen
Untergrund?«

»Geht schon«, meinte Fritzi. »Ich friere mir die Nase
ab und hab ständig Schnupfen. Aber sonst ist alles krötig. Mister Paddock ist sehr nett.« Sie schielte hinüber
zum Sofa, auf dem Paddocks Gehilfe immer noch laut
schnarchte. »Und Dumpy natürlich auch.«

Mister Paddock war von seinem Fass gehüpft. Er winkte
Brausewein auf dem Bildschirm zu und sagte: »Hello,
my friend, ich wollte nach meiner Bestellung fragen! Wie
steht es damit?«

»Ihre Bestellung? Ach ja, natürlich. Die hatte ich fast vergessen«, antwortete Brausewein zerstreut. »Den Schirm
hab ich längst fertig!«

»Wonderful!« Paddock lächelte. »Was kann er denn?
Haben Sie alles eingebaut?«

»Genau, wie Sie es gewünscht haben«, sagte Brausewein.
»Er ist ein echter Wunderschirm. Er kann Niespulver
versprühen, Nebel werfen und Stinkerqualm ausstoßen.
Und zum Fliegen hab ich einen Turbo-Propeller eingebaut!«

»Smelly fishbone!«, rief Paddock erfreut. »Well, dann
bringen Sie das Ding ganz schnell her zu uns!«

»Würd ich ja gerne tun«, meinte Brausewein nachdenklich. »Aber leider kann ich diesmal nicht selbst kommen.
Ich arbeite gerade an einer höchst wichtigen Erfindung.«

18

»Dann schicken Sie ihn mit der Post, o. k.?«, schlug Paddock vor.

Der Professor kicherte. »Das wird auch nicht funktionieren. Ich denke, kein Postbote kriecht gern in Gullys!«

»Meine Güte, dann denken Sie sich eben etwas anderes aus!«, sagte Paddock. »Wozu sind Sie denn Erfinder? Lassen Sie sich etwas einfallen!«

»Das mache ich«, meinte Brausewein. »Sie hören von mir!«

Ein Auftrag für die Olchi-Kinder

Professor Brausewein musste nicht lange nachdenken.
Noch am gleichen Tag fuhr er hinüber nach Schmuddelfing zur olchigen Müllkippe. Er parkte sein kleines Auto
neben einer großen Schlammpfütze und stiefelte über die
Müllteile hinüber zur Olchi-Höhle. Unter dem Arm trug
er Paddocks Wunderschirm, säuberlich in Packpapier
eingeschlagen.
Die Olchi-Familie sah er drüben an ihrer Garage. Alles
war friedlich. Olchi-Mama und Olchi-Oma verschmutz-
ten gerade den Drachen Feuerstuhl. Sie rieben ihm den
dicken Bauch mit braunem Schlamm ein, und der Drache
grunzte behaglich und stieß schwefelgelbe Qualmwölk-
chen aus.
Olchi-Opa hockte auf seinem alten Ofen und betrachtete
das Ganze mit Wohlgefallen. Nebenbei spuckte er kleine
Stückchen seiner Knochenpfeife in eine Pfütze.
Olchi-Papa saß in einer verbeulten Badewanne, die rand-
voll mit Abfall war.
Anscheinend nahm er gerade ein Müllbad. Auf seinem
Kopf hockte eine fette Kröte, auf dem Schoß hatte er das

Olchi-Baby. Er fütterte es mit kleinen Stückchen grauem
Beton, und Brausewein hörte ihn fröhlich singen:

>>Ja, mein kleines Stinkerlein,
so ein Steinchen schmeckt doch fein!
Nimm noch ein Stückchen vom Beton,
deine Zähnchen kauen das schon!<<

Die beiden Olchi-Kinder hüpften lustig um die Wanne
herum und pfefferten sich gegenseitig Matschknödel an
die Knubbelnasen.
Wirklich eine nette Familie!, dachte Professor Brause-

wein und verscheuchte ein paar lästige Fliegen, die sich auf seiner Nase niederlassen wollten.

»Hallo, Olchis!«, rief er. »Wie geht's? Wie steht's? Alles schön stinkig bei euch?«

Die Olchis, die immer gern Besuch hatten, freuten sich, den Professor zu sehen.

»Ja, alles krötig bei uns«, sagte Olchi-Mama. »Muffelfurzteufel, schön, dass du auch mal wieder vorbeischaust. Magst du ein Stück Stinkerkuchen? Hab ihn gerade erst heute Morgen frisch verbrannt!«

»Danke, sehr nett, ist aber wirklich nicht nötig«, antwortete Brausewein schnell. »Ich bin nicht zum Essen gekommen, ich wollte euch nur etwas fragen.«

Er wusste, dass sich bei den Olchis immer alles ums Essen drehte, und auf Olchi-Mamas entsetzlichen Stinkerkuchen hatte er nun wirklich gar keinen Appetit.

»Was willst du uns denn fragen?«, sagte Olchi-Oma und legte ihren Schlammlappen zur Seite.

Der Professor erzählte ihnen von Fritzi Federspiel, die in London bei Herrn Paddock ein Praktikum machte. Und dass er dem Olchi-Detektiv dringend seinen neuen Wunderschirm liefern musste.

»Ich dachte, es könnte vielleicht jemand von euch nach London fliegen und das Ding dort abliefern?« Er zeigte auf sein Paket. »Die Reise würde euch sicher Spaß machen. Paddock wohnt in einem wunderschönen olchigen Kanal, das wird euch bestimmt gefallen. Und mit eurem schnellen Drachen seid ihr doch im Handumdrehen dort. Na, was meint ihr?«

»Grätzige Stinkerlaus, das klingt nicht übel«, brummte Olchi-Opa und rülpste. »Ich kenne London gut. Vor vierhundert Jahren war ich schon mal dort. Ich habe als Rattenretter gearbeitet. Zweitausendfünfhundertvierundsechzig von ihnen habe ich gerettet und an einen sicheren Ort gebracht. Der König von England wollte sie nämlich alle vergiften! Das war vielleicht ein Spaß! Hab ich euch das eigentlich schon mal erzählt?«

»Bestimmt schon hundert Mal!«, meinte Olchi-Mama.

»Wir wollen auch nach London!«, riefen die Olchi-Kinder. »Wir wollen auch Ratten retten!«

»Es ist keine Zeit für solche Späße«, meinte Olchi-Mama. »Die Olchi-Oma hat doch bald ihren Gefurztag, und wir müssen noch eine Menge vorbereiten!«

»Wir beide könnten doch allein dorthin fliegen«, schlug das eine Olchi-Kind vor.

»Ja, beim Kröterich, ihr feiert Gefurztag, und wir bringen den Schirm zu dem Herrn Paddock!«, meinte das andere Olchi-Kind.

Olchi-Oma schüttelte den Kopf. »Ihr beide wollt allein dahin? Stinkerlinge, das ist keine gute Idee und viel zu gefährlich. Dieses London ist bestimmt ganz weit weg. Hab ich recht?«

»Tja, es liegt nicht gerade um die Ecke«, musste Brausewein zugeben. »Aber ich habe ein erstklassiges Navigationsgerät. Das leitet euch genau zu Paddocks Büro. Wär also kein Problem, denke ich.«

»Und mein Gefurztag?«, sagte Olchi-Oma zu den Olchi-Kindern. »Soll ich den vielleicht ohne euch feiern?«

»Aber das macht doch nichts«, meinte das eine Olchi-Kind. »Du hast doch so oft Gefurztag! Dann feiern wir eben, wenn wir zurückkommen, gleich deinen nächsten!«

»Ranziger Sockensumpf«, sagte Olchi-Oma. »Das gefällt mir gar nicht. So eine Reise ist nichts für kleine Kinder!«

»Aber wir sind keine kleinen Kinder! Wir sind schon groß!«, riefen beide Olchi-Kinder gleichzeitig und nickten dabei so heftig mit den Köpfen, dass ihre harten Olchi-Haare klapperten.

Olchi-Papa kletterte aus seiner Wanne und drückte Olchi-Mama das Baby in die Hand.

»Schleimiger Schlammlappen«, sagte er. »Ich denke, wenn sich die Kinder das zutrauen, dann sollten wir es ihnen erlauben. Die kleinen Stinkeriche müssen ja endlich mal selbstständig werden. Bei meinem ranzigen Käsefuß, das wär doch eine gute Gelegenheit für sie zu zeigen, was sie können.«

»Ja, ja, das finde ich auch«, bestätigte Brausewein eifrig. »Ihre Kinder sehen wirklich sehr selbstständig aus!«

»Schlage vor, wir stimmen ab!«, rief Olchi-Papa und hob die Hand. »Also, wer ist einverstanden, dass die beiden allein nach London fliegen?«

Alle außer Olchi-Oma stimmten dafür. »Krötig! Krötig!

Wir fliegen! Wir fliegen!«, jubelten die Olchi-Kinder und
hüpften wild hin und her. In ihrer Aufregung hätten sie
fast den Professor in eine der Matschpfützen geschubst.
Doch das nahm er den Olchi-Kindern nicht übel.
Er überreichte ihnen sein Paket und das Navigationsgerät und erklärte:
»Wie gesagt, modernste Technik. Es ist alles program-
miert, und der Navigator wird euch in London genau
zum richtigen Gullydeckel bringen. Er ist in einer kleinen Gasse, der Hazy Lane. Ihr klettert in den Gully und
folgt der Röhre im Kanal bis zum Detektivbüro. Es ist
kaum zu verfehlen.«
»Krötig! Kein Problem, das machen wir«, sagten die
Olchi-Kinder.

Brausewein erklärte ihnen auch, wie sie das Gerät für den Rückflug programmieren mussten, und noch ein paar andere notwendige Einzelheiten. Die Olchi-Kinder merkten sich alles ganz genau.

Sie freuten sich auf ihre Reise und wollten auf der Stelle losfliegen.

Olchi-Opa sagte: »Soll ich nicht lieber doch mitkommen? Würde gern mal wieder ein paar Ratten retten. Schleime-Schlamm-und-Käsefuß, dass ich das noch erleben muss! Bei meinem alten Hühnerich, fliegen die Kinder ohne mich?«

»Du bleibst schön hier und feierst meinen Gefurztag, mein lieber Stinkerling!«, sagte Olchi-Oma. »Wär ja noch schöner. Am Ende steh ich noch ganz alleine da!«

Olchi-Mama gab ihren Olchi-Kindern einen Müllsack mit olchiger Verpflegung mit auf den Weg, damit sie unterwegs nicht verhungerten. Und Olchi-Papa tankte den Drachen mit drei Eimern ranziger Schmuddelbrühe auf. Dann konnte es auch schon losgehen.

Als die Olchi-Kinder frohen Mutes auf ihren Drachen kletterten, ahnten sie nicht, dass sie auf dem Weg in ein gefährliches Abenteuer waren.

Der Flug nach London

Es war ein weiter Weg bis nach London, aber Feuerstuhl knatterte dahin, so schnell er konnte. Er flog ziemlich hoch, blieb die meiste Zeit knapp über der Wolkendecke und musste sich richtig anstrengen. So hoch oben gab es keine Mücken oder Fliegen, die Luft war dünn und unangenehm sauber. Die dichten Wolken unter ihnen sahen aus wie weiche Watteberge, geradeso als könnte man sich gemütlich in sie hineinlegen. Es war eiskalt, doch die Olchi-Kinder hatten eine Haut wie Tintenfisch und froren kein bisschen. Tief unter sich sahen sie winzige Häuser, Äcker, Felder, Wiesen und kilometerlange Flüsse. Von hier aus wirkte alles wie eine nette kleine Spielzeuglandschaft.

Der Olchi-Drache flog sehr ruhig und sicher. Professor Brauseweins Navigationsgerät hielt sie auf Kurs. Nur einmal kreuzte ein großes Passagierflugzeug ihren Weg. Gerade noch konnten sie ausweichen.

Als sie nach ein paar Stunden olchigen Hunger bekamen, zogen sie Olchi-Mamas Müllsack hervor, der vollgepackt mit feinen Sachen war: dicke Schuhsohlen, ein großes

27

Stück Stinkerkuchen und viele rostige Dosenblech-Scheibchen.

»Über den Wolken schmeckt das Dosenblech doppelt so fein ...«, sang das eine Olchi-Kind mit vollem Mund.

Feuerstuhl flog die ganze Strecke ohne Pause. Gegen Abend, als es bereits dunkel geworden war und sie ein großes Wasser überquert hatten, sahen sie endlich das Lichtermeer der englischen Hauptstadt unter sich. London war offenbar eine ungeheuer große Stadt, und die Olchi-Kinder fragten sich besorgt, ob sie das Detektivbüro auch wirklich finden würden. Doch der Navigator fand sich problemlos zurecht. Feuerstuhl ging tiefer, machte eine elegante Schleife, kreuzte ein paar breite Straßen und schwebte schließlich in eine finstere Seitengasse. Dort bremste er ab und landete genau neben einem runden Gullydeckel.

»Da müssen wir rein«, stellte das eine Olchi-Kind ganz richtig fest.

»Aber Feuerstuhl schafft das nicht«, meinte das andere Olchi-Kind. »Er ist viel zu groß und viel zu dick. Er muss hier draußen auf uns warten.«

Der Drache hatte verstanden und gab ein zustimmendes Grunzen von sich.

Ganz in der Nähe standen ein paar Flaschencontainer. Hier war Feuerstuhl fürs Erste gut aufgehoben. Er durfte sich hinter die Container legen und ein wenig ausruhen. Das war gut so, denn der lange Flug war anstrengend gewesen, und er brauchte jetzt dringend seinen 24-Stunden-Schlaf.

Obwohl der gut gefüllte Flaschencontainer für die Olchi-Kinder sehr verlockend war, hielten sie sich nicht länger auf. So, wie es ihnen Brausewein erklärt hatte, kletterten sie mit ihrem Paket in den Gully hinein. Der moderig-faulige Geruch im Kanal gefiel ihnen ausgezeichnet.

»Schleime-Schlamm-und-Käsefuß, das riecht ja fast wie zu Hause«, meinte das eine Olchi-Kind beeindruckt.

Sie folgten dem feuchten Labyrinth, bis sie endlich vor Paddocks Bürotür standen.

»Hallo! Muffelfurzteufel! Wir haben Post für den Herrn Paddock!«, riefen die Olchi-Kinder.

Als sie die eiserne Tür öffneten, sahen sie Fritzi Federspiel auf dem Fußboden herumkriechen und mit einem Lappen Wasser aufwischen.

»Na so was! Die Olchi-Kinder!«, rief Fritzi erfreut. »Euch habe ich ja lange nicht mehr gesehen!«

»Beim Kröterich, wir bringen das Paket von Brausewein«, erklärten ihr die Olchi-Kinder.

»Das ist ja wunderbar«, sagte Fritzi. »Mister Paddock wird sich freuen!«

Sie nieste, legte ihren nassen Lappen auf den vollen Wassereimer und seufzte. »Wir hatten leider mal wieder eine Überschwemmung. Immer wenn es zu stark regnet, steht hier alles unter Wasser, und ich muss wieder sauber

machen. Manchmal schwemmt es sogar die Möbel weg. Ich werde mich wohl nie daran gewöhnen.«

»Rostiger Mistkübel, wieso machst du sauber? Ist doch krötig hier!«, meinte das eine Olchi-Kind und schaute sich neugierig um. Das olchige Büro wirkte wirklich sehr gemütlich. An den grauen Wänden hingen Spinnweben, die Decke war schön schimmelig, und überall standen rostige Ölfässer herum.

»Ist das Herr Paddock?«, fragte das andere Olchi-Kind und deutete auf einen grünen Olchi, der da schlafend in der Ecke auf einem Sofa lag. Fritzi schüttelte den Kopf.

»Nein, das ist Dumpy. Er ist Mister Paddocks Gehilfe. Paddock ist gerade nicht da. Er ist heute Abend in seinem Club.«

»In seinem Blubb? Was ist das denn?«, fragte das eine Olchi-Kind.

»Ein Club ist ein englischer Männerverein. Da treffen sich immer die sehr wichtigen Leute!«

»Ist der Herr Paddock auch sehr wichtig?«, fragte das andere Olchi-Kind.

Fritzi lächelte. »Na ja, zumindest ist er sehr neugierig. Im Club erfährt er immer die neuesten Klatschgeschichten. Und manchmal bekommt er dort auch Aufträge. Mister Paddock ist nämlich ein Detektiv.«

»Das wissen wir doch schon«, sagten die Olchi-Kinder. Jetzt schlug Dumpy die Augen auf. Er blinzelte verschlafen und schaute die Olchi-Kinder erstaunt an. Dass noch andere Olchis hier im Büro eintrafen, kam nur äußerst selten vor.

»Rotten rat!«, begrüßte er sie. »I'm Dumpy! Welcome on board!« Die Teedose rutschte von seinem Bauch und knallte auf den Fußboden. Doch das schien ihn nicht weiter zu stören.

Die Olchi-Kinder konnten mit ihrem mittleren Hörhorn alle Sprachen der Welt verstehen und natürlich auch Englisch. »Willkommen an Bord«, hatte er gesagt.

»Would you like some tea?«, fragte Dumpy. »Habe gerade gestern erst schöne ranzige Fischgräten besorgt!« Er nahm zwei verbeulte Dosen aus einem wackeligen Regal, füllte sie in Fritzis Eimer mit Putzwasser und hängte zwei kleine Gräten hinein.

»Muffelfurzteufel, das ist aber sehr krötig von dir!«, freuten sich die Olchi-Kinder. Dieser Dumpy war ihnen gleich sympathisch. Er roch wie Olchi-Opa und schien sehr nett zu sein.

Sie setzten sich zu ihm aufs Sofa, schlürften den krötigen Tee und erzählten ein wenig von ihrer Reise. Das Büro war wirklich sehr gemütlich. Hier konnten sie wunderbar auf Herrn Paddock warten.

Im Club der Gentlemen

Mister Paddock hatte es sich in einem weichen Polster-
sessel bequem gemacht. Eigentlich mochte er die vorneh-
me Atmosphäre des Clubs nicht besonders. Der Raum
war in sanftes Licht getaucht, und die schweren Teppiche
dämpften den Klang der Stimmen. Die Wände waren mit
wertvollen Seidentapeten bespannt, und im Kamin pras-
selte ein lustiges Feuer. Alles sah sehr sauber aus.
Der Detektiv hatte sich an diese unkrötige Umgebung
nur schwer gewöhnen können. So, wie sich die Clubmitglieder nicht ganz leichtgetan hatten, den müffelnden
Mister Paddock und sein olchiges Aussehen zu akzeptie-
ren. Aber Paddock war hier Ehrenmitglied. Die Königin
persönlich hatte ihm vor einigen Jahren die Mitglied-
schaft besorgt.
Damals hatte er einen Pferdedieb überführt, der den
Lieblingsschimmel der Königin aus ihrem Gestüt gestohlen hatte. Mister Paddock hatte alles erstklassig
recherchiert, den Dieb tagelang observiert, schließlich die
Polizei informiert und den Ganoven auf dem Silbertablett
präsentiert. Perry Pimple hieß der Bursche. Auf diesen
Erfolg war Paddock heute noch stolz. Man hatte Pimple

für zwei Jahre hinter Schloss und Riegel gebracht, und seitdem hatte Paddock Zugang zum Club.

Das war eine große Ehre für ihn, denn nur sehr bedeutende Männer durften hier Mitglied werden. Zum Beispiel der Polizeipräsident, der Geheimdienstchef der Königin oder der Leiter des Naturkundemuseums. Paddock hielt ein Kristallglas mit Spülwasser in der Hand. Alle anderen Mitglieder des Clubs hielten sich an Whiskygläsern fest, denn so etwas gehörte hier zum guten Ton. Doch Paddock mochte naturgemäß keinen Whisky. Er begnügte sich gerne mit olchigem Spülwasser aus der Küche und trank es genüsslich in kleinen Schlucken.

Angenehm war, dass hier gequalmt werden durfte. Einige der anwesenden Herren pafften dicke Zigarren und Tabakspfeifen und stießen dabei olchige Stinkerwolken aus. Mister Paddock mochte Stinkerwolken.

Entspannt lehnte er sich zurück und lauschte wie immer neugierig den Gesprächen der anwesenden Herren. Man unterhielt sich über die Börse, über Geldanlagen und Aktien, alles Dinge, die Paddock nicht die Bohne interessierten.

Dann schnappte er eine Unterhaltung über Wetten auf. Das gefiel ihm schon besser.

»Well, ich wette fünfzig Pfund, dass es morgen wieder regnen wird!«, hörte er Mister Pitsch rufen. Mister Pitsch war Regenschirmfabrikant und Multimillionär.

»O. k., einverstanden«, antwortete Mister Green, der
Besitzer der Golfclubs.

»Und ich wette hundert Pfund, dass bis nächste Woche
nicht die Sonne scheint!«

Paddock kannte das. Wetten waren in London ein be-
liebtes Thema, denn alle Engländer wetteten für ihr
Leben gern. Mister Mortimer, der Leiter des Naturkundemuseums, hob sein Glas und prostete ihm zu.

»Na, Mister Paddock, ich wette, Sie haben mal wieder
einen interessanten Fall gelöst?« Er ließ sich neben Paddock in einen Sessel fallen.

»Slithery slime! Momentan ist nicht viel los«, antwortete Paddock. Er hob ebenfalls sein Glas und nahm ein Schlückchen Spülwasser.

»Bei mir leider schon«, sagte Mortimer. »Im Museum wurden in letzter Zeit immer wieder wertvolle Dinosaurierknochen gestohlen. Was für ein Jammer! Well, die Menschheit ist schlecht, nicht wahr?«

»Dinosaurierknochen?« Paddock war hellhörig geworden.

»Vom Skelett unseres Allosaurus«, erklärte Mortimer weiter. »Kennen Sie den Allosaurus? Sehr selten! Hundertfünfzig Millionen Jahre alt! Fleischfresser und zwölf Meter lang!«

»Smelly fishbone!«, brummte Paddock beeindruckt. »Und wertvoll, nehme ich an?«

»Das kann man wohl sagen!« Mortimer machte ein betrübtes Gesicht. »Das Skelett steht nur noch zur Hälfte da. Fast jede Nacht verschwinden neue Knochen. Unser Museumswärter macht immer brav seine Rundgänge, hat die Diebstähle aber nicht verhindern können. Der gute Mann ist total überfordert.«

»Sind Sie zur Polizei gegangen?«, fragte Paddock.

»Na klar. Man hat alles sorgfältig notiert und versprochen, sich um die Sache zu kümmern, aber noch ist nichts geschehen. Es gibt leider noch keine Ergebnisse.«

»Rotten rat!«, brummte Paddock und beugte sich zu Mortimer hinüber. »Ob da wieder dieser Firebomb Jack dahintersteckt? Haben Sie darüber schon mal nachgedacht? Man hat ja schon eine ganze Weile nichts gehört von dem Ganoven.«

Mister Mortimer wich zurück. Der olchige Mundgeruch des Detektivs verursachte ihm Übelkeit. »Firebomb Jack?«, sagte er dann und kratzte sich am Kinn. »Keine Ahnung. Aber möglich ist das natürlich.«

Firebomb Jack war bekannt als König der Unterwelt. Er wurde unzähliger Verbrechen verdächtigt, doch Beweise gab es nie. Man wusste noch nicht einmal, wie er aussah, denn niemand hatte je sein Gesicht gesehen. Überall hatte er seine Helfershelfer, und seine gefürchtete Bande nannte man die »Ratten von London«.

»Wir wissen, dass Firebomb Jack Spielkasinos betreibt«, sagte Paddock. »Er besitzt einen Spielclub, einen Nachtclub, einen Boxclub und ...«

»Well, London ist voll von Clubs!«, unterbrach ihn Mortimer und stellte sein leeres Whiskyglas auf den Couchtisch.

»... aber was würde er mit Dinoknochen wollen?«, überlegte Paddock. »Einen seiner Clubs dekorieren?«

»Gute Frage. Mister Paddock, Sie haben doch unter den Detektiven der Stadt einen hervorragenden Ruf. Möchten Sie sich vielleicht der Sache annehmen? Hätten Sie Zeit?«

»Smelly fishbone! Sehr gern!«, sagte Paddock. »Ich wette tausend Pfund, dass ich bald herausfinde, wer der Knochenklauer ist.«

»Einverstanden«, sagte Mortimer. »Tausend Pfund für Sie, wenn Sie den Täter überführen und ich meine Knochen wiederbekomme!« Er überreichte Paddock eine Visitenkarte mit seiner Telefonnummer und drückte ihm erfreut die Hand. Doch schnell ließ er sie wieder los. Die Olchi-Hand fühlte sich an wie kalter Gummi.

Der Mauersegler

Paddock freute sich über den neuen Auftrag. Tausend
Pfund waren eine Menge Geld, und er war sich sicher,
den Dieb bald überführen zu können.

Kurz vor Mitternacht verließ er den Club und machte
gleich mal einen kleinen Abstecher zum Naturkundemuseum.

Mal sehen, ob mir dort etwas Verdächtiges auffällt,
dachte er.

Ein scharfer Wind blies ihm kalte Regentropfen ins
Gesicht, und er drückte seine Melone ein bisschen fester
auf den Kopf. Mit schnellen Schritten durchquerte er
einen kleinen Park, der um diese Zeit fast menschenleer
war. Nur ein paar Nachtschwärmer waren noch unterwegs und ein tapferer Hundebesitzer, der seinen Dalma-
tiner Gassi führte.

Das Naturkundemuseum war ziemlich groß, und der
Haupteingang war auch nachts hell beleuchtet. Paddock
beschloss deshalb, lieber den Hintereingang zu inspizie-
ren.

Als er um die Ecke bog, sah er einen schwarzen Wagen
die Straße heraufkommen. Er parkte dem Hinterein-

gang gegenüber am Straßenrand. Zwei finstere Gestalten saßen darin. Das Autolicht erlosch, aber die beiden Typen blieben sitzen und machten keine Anstalten, auszusteigen.

Sehr verdächtig!, dachte Paddock. Er hatte sich hinter einem Baum versteckt und beobachtete den Wagen eine ganze Weile.

Worauf warteten die beiden? Wieso stiegen sie nicht aus? Er konnte die Männer nicht genau erkennen, denn im Auto war es dunkel, und die beiden hatten ihre Hüte ins Gesicht gezogen.

Endlich stiegen sie aus. Sie schlenderten hinüber zur Museumsmauer, blieben dort stehen, und einer der beiden sah auf seine Armbanduhr.

Leise wie eine Katze schlich sich Paddock ein wenig näher heran.

Ich muss unbedingt hören, was sie reden, dachte er. Ich werde auf die Mauer klettern und mich von hinten an sie heranschleichen.

Das Auf-die-Mauer-Klettern war gar nicht so einfach. Der Detektiv kam dabei ganz schön ins Schwitzen, denn mit seinen 1685 Jahren war er nicht mehr der Jüngste. So ein hohes Alter war selbst für einen Olchi kein Pappenstiel. Noch vor fünfhundert Jahren wäre er mit einem einzigen Satz da oben gewesen. Doch endlich hatte er es geschafft. Er drückte sich flach auf den Mauersims, und als er wieder bei Puste war, robbte er langsam vorwärts, bis ihn nur noch ein paar Meter von den verdächtigen Gestalten trennten.

Leider hörte er nur undeutliches Gemurmel und konnte nicht verstehen, was die beiden miteinander redeten. Seine olchigen Hörhörner waren auch nicht mehr die besten.

Paddock fummelte seinen Lauschator aus der Manteltasche. Das war auch so eine praktische Erfindung von Professor Brausewein. Ein superstarkes Hörgerät, mit dem man sogar die Ameisen husten hören konnte, wenn die Batterien in Ordnung waren. Er lüpfte seine Melone und klemmte sich den Lauschator an die Hörhörner.

»Slimy sock! Worauf warten wir noch?«, hörte er den kleineren der beiden Männer sagen. »Hab langsam kalte Füße!«

»Nerv mich nicht!«, knurrte der andere. »Um halb eins ist der Wärter mit seinem Rundgang fertig.«

»Verdammt, hoffentlich ist er pünktlich!«, sagte der Kleine. »Immer haben wir diese Mistjobs! Los, bringen wir die Sache hinter uns. Wir gehen einfach rein und geben ihm eins auf die Mütze.«

»Wir warten noch! Du weißt doch, dass ...«, sagte der andere, doch der Rest war so leise, dass Paddock es wieder nicht verstehen konnte.

Er stellte den Lauschator noch ein wenig lauter, auf höchste Stufe.

Das war ein Fehler.

Plötzlich gab es eine Rückkopplung, und das Ding stieß einen schrillen Pfeifton aus. Erschrocken drehten sich die beiden Männer nach ihm um.

»Dammit!«, stieß der Kleinere aus.

»What the hell …!«, rief der andere.

Das Hörgerät pfiff immer lauter und wollte gar nicht mehr aufhören. Paddocks Gedanken überschlugen sich. Nervös fummelte er am Ausschaltknopf herum, bis der Lauschator endlich verstummte.

Der größere der Ganoven ging drohend auf Paddock zu.

»Was tust du da oben?«

Paddock überlegte fieberhaft. Noch konnte er sich in Sicherheit bringen. Vielleicht sollte er sich einfach auf die andere Seite der Mauer fallen lassen?

Doch Angriff war die beste Verteidigung. Schließlich war er ja bestens ausgerüstet. Sein Mantel hatte auf der Innenseite ein dünnes Metallgestell, und wenn er die Arme ausbreitete, konnte er damit ein ganzes Stück segeln.

Er zögerte keine Sekunde länger, breitete die Arme aus und brachte den Mantel in Flugposition. Er wedelte mit seinen Armen, sodass es aussah, als würde er mit den Flügeln flattern. Mit einem schrillen Schrei ließ er sich kopfüber von der Mauer fallen.

»Uiii! Uiii! Uiii!«, kreischte Mister Paddock und flatterte wie eine riesige Fledermaus hinunter auf den Boden.

»Oh my God!«, stießen die beiden Männer erschrocken aus. Die kreischende Riesenfledermaus war zu viel für

43

sie. Sie rannten davon, so schnell sie konnten, sprangen in ihr Auto und gaben Gas.

»Haha! Goodbye, ihr Feiglinge!«, rief ihnen Paddock nach.

Was für ein Glück! Er hatte die Knochenklauer in die Flucht geschlagen und einen weiteren Diebstahl gerade noch verhindern können.

»Not bad«, murmelte er zufrieden. »Das war doch schon mal ein erster Erfolg, denke ich.«

Er spürte einen stechenden Schmerz in seinem linken Knie. Die Landung war leider ziemlich unsanft gewesen.

»In meinem Alter sollte man um diese Zeit auf der Matratze liegen und nicht von Mauern hüpfen.«

Vor sich hin brummelnd und ein wenig hinkend, aber doch sehr von sich beeindruckt, machte er sich auf den Heimweg.

Tee und Qualm und Eisenbiegen

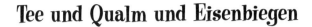

Als Mister Paddock durch die schmale Gasse Hazy Lane
zu seinem Büro ging, sah er hinter den Flaschencontainern ein großes grünes Vieh liegen. Das heißt, zuerst
erkannte er nur einen grünen Zackenschwanz, doch als
er sich neugierig etwas näher heranwagte und hinter die
Container lugte, traute er seinen Augen kaum. Vor ihm
lag ein dicker grüner Drache mit sechs kurzen Beinen
und einer mächtigen Schnauze, aus der kleine Stinkerwolken drangen.
Paddock wich erschrocken zurück. Das Vieh ähnelte
einem Dinosaurier. Es hatte die Augen geschlossen, gab
ein gleichmäßiges Grunzen von sich, und Paddock war
froh, dass es anscheinend tief und friedlich schlief. Um es
nicht zu wecken, ging er schnell weiter.
»Smelly fishbone!«, murmelte er verwundert. »Werden
jetzt die Dinosaurier wieder lebendig?« So leise wie
möglich öffnete er den Gullydeckel und kletterte in den
modrigen Schacht.
In seinem Büro wartete eine weitere Überraschung auf
ihn.
Er sah Dumpy mit zwei kleinen grünen Olchis auf dem

Sofa sitzen und Tee trinken. Die drei veranstalteten gerade eine Art Wettrülpsen. Dumpy war darin ein großer Meister. Er rülpste ohne Unterlass, und immer wenn ihm ein besonders eindrucksvolles Bäuerchen gelungen war, kicherten sich die beiden kleinen Grünlinge fast zu Tode.
»Na so was! Wir haben Besuch?«, fragte Mister Paddock verwundert.
»Wir sind die Olchi-Kinder!«, begrüßten ihn die Olchi-Kinder. »Wir kommen aus Schmuddelfing und haben was mitgebracht!«
Dumpy deutete auf das längliche Paket, das da am Boden lag. »Sie haben den Schirm von Brausewein geliefert.«
»Slimy sock!«, rief Paddock erfreut. »Ich kombiniere: Dann gehört dieser Dinosaurier da draußen wohl zu euch? Das Vieh hat mich ganz schön erschreckt.«
»Das ist unser Drache Feuerstuhl«, erklärte das eine Olchi-Kind. »Er hat leider nicht in den Gully gepasst. Aber er ist sehr nett und tut keinem was.«
Paddock öffnete das Paket und sagte: »Well, das ist ja wonderful!«
Der Schirm machte einen sehr stabilen Eindruck. Als er unten am Griff auf einen Knopf drückte, zischte es. Gleichzeitig kam dichter Stinkerqualm aus einer Düse, und im Nu war das ganze Büro eingenebelt. Alle Olchis atmeten tief ein, denn die Stinkerwolken rochen wirklich wunderbar krötig.
»Ein Qualmwerfer! Phantastisch!«, rief Paddock be-

geistert und schaltete den Schirm wieder aus. Er setzte sich auf eines der rostigen Fässer, die hier überall herumstanden, und schaute Dumpy fragend an.

»Wo ist denn unsere Fritzi?«

Sein Gehilfe deutete auf die kleine Tür, die nach nebenan in eine kleine Kammer führte.

»Sie schläft schon. Ist ja auch schon ziemlich spät heute.«

Die Kammer war Fritzis Schlafzimmer. Da drin hatte sie ganz für sich allein eine alte Matratze, die zum Glück keine Flöhe beherbergte und recht weich und bequem war.

Paddock nahm sich ebenfalls eine Tasse Tee und sagte zu den Olchi-Kindern:

»Ihr seid also aus Schmuddelfing? Ich war noch nie dort, habe aber schon davon gehört. Eure Müllkippe ist ja inzwischen ziemlich bekannt, würde ich sagen. Sie soll sehr krötig sein!«

»Sie ist der krötigste Ort der Welt!«, behaupteten die Olchi-Kinder und erzählten von den vielen Fliegen, Mäusen, Kröten und Ratten und den herrlichen Müllteilen, die überall herumlagen. Als sie fertig waren, berichtete Mister Paddock von den Knochendiebstählen im Museum und was er inzwischen herausgefunden hatte.

»Gerade eben habe ich zwei Halunken an der Museumsmauer gestellt. Es ist mir gelungen, sie in die Flucht zu schlagen. Sie sind davongerannt wie aufgescheuchte Kaninchen!«, sagte er stolz.

»Schleime-Schlamm-und-Käsefuß«, sagten die Olchi-Kinder beeindruckt. Das Leben von Mister Paddock schien sehr aufregend zu sein.

»Wir würden gern noch eine Weile hierbleiben«, sagte das eine Olchi-Kind. »Wir möchten dir bei der Detektivarbeit zusehen!«

Und das andere Olchi-Kind sagte: »Ja, wir könnten dir sicher helfen! Pampiger Wanzensumpf, wir beide sind nämlich sehr stark!«

»So? Na, das will ich sehen!« Mister Paddock schmunzelte. »Dann zeigt uns doch mal, was ihr könnt!«

Die Olchi-Kinder holten ein schweres, langes Eisenrohr, das da in der Ecke lag, packten es fest mit ihren kleinen Olchi-Händen und machten in null Komma nichts einen Knoten hinein.

Dumpy klatschte in die Hände und rief »Bravo!«, und Mister Paddock sagte: »Not bad! Noch ein paar kräftige Kerle könnte ich tatsächlich gut gebrauchen. Wenn ihr wollt, dann dürft ihr gerne eine Weile bei uns bleiben.«

»Yes, please!«, rief Dumpy. »Das wäre toll!«

»Aber euer Drache kann nicht die ganze Zeit da draußen bleiben«, sagte Paddock. »Es ist ziemlich ungewöhnlich,

dass dinosaurierartige Tiere einfach so auf der Straße herumliegen. Wenn man ihn entdeckt, würde das großes Aufsehen erregen, versteht ihr?«

»Aber wo soll er denn hin?«, fragten die Olchi-Kinder. Dumpy hatte eine Idee: »Vielleicht könnten wir ihn ins Naturkundemuseum bringen? Wir stellen ihn dort zu den anderen Dinos, da wird er gar nicht auffallen.«

»Sehr gut«, meinte Mister Paddock. »Dort kann er dann gleichzeitig den Allosaurus bewachen, falls die Knochenklauer doch noch einmal wiederkommen. Und du wirst ihm dabei Gesellschaft leisten, mein lieber Dumpy!«

Sein Gehilfe zog die Augenbrauen hoch. »What? Why? Ich soll …?«

»Well, ich denke, du solltest ein paar Tage und Nächte im Museum verbringen. Zusammen mit dem Olchi-Drachen wirst du dort Wache schieben. Ja, ich denke, das ist ein guter Plan. Und ich bin sicher, auch Mister Mortimer wird davon begeistert sein.«

Ein Podest für Feuerstuhl

Schon in aller Früh, kurz vor Sonnenaufgang, standen
Paddock und die Olchi-Kinder bei Fritzi am Bett. Das
eine Olchi-Kind kitzelte sie mit einer Fischgräte an der
Nase, bis sie nieste und endlich aufwachte. Gähnend warf
sie einen Blick auf ihre Armbanduhr. »Was ist los? Wieso
weckt ihr mich so früh?«
Paddock erklärte ihr, was sie vorhatten.
»Wir wollen den olchigen Drachen ins Museum bringen.
Und du musst mit deinem Handy Mister Mortimer anrufen!«
Paddock selber hatte kein Handy. Er konnte diese Dinger
nicht leiden, denn sie ließen sich mit seinen dicken Olchi-
Fingern nur schwer bedienen.
Fritzi kramte ihr kleines Telefon aus der Handtasche,
und der Detektiv gab ihr die Visitenkarte vom Museumsdirektor.
Mister Mortimer meldete sich erst nach zehnmal Klin-
geln. Er klang noch ein wenig verschlafen. Fritzi sagte
ihm, er solle bitte jetzt und sofort zum Museum kommen,
denn dort warte eine Überraschung auf ihn. Dann durfte
sie sich wieder auf ihre Matratze legen.

Die anderen gingen nach draußen, um Feuerstuhl startklar zu machen.

»Los, Feuerstühlchen, du darfst im Museum weiterschlafen!« Die Olchi-Kinder rüttelten den müden Drachen wach.

Feuerstuhl streckte sich, gähnte, und ein paar Fliegen, die sich auf seiner Schnauze niedergelassen hatten, fielen tot auf den Boden.

Die Olchi-Kinder kletterten auf ihren Drachen und halfen auch Mister Paddock hinauf. Nur Dumpy traute sich erst nach längerem Zögern.

»Ich bin nicht schwindelfrei«, jammerte er. »Ich würde viel lieber zu Fuß gehen. Mir ist jetzt schon schlecht! Und meinen Schmuddeltee hatte ich heute Morgen auch noch nicht!«

»Stinky sock, jetzt stell dich nicht so an!«, brummte Mister Paddock ungehalten. Er mochte es gar nicht, wenn sein Gehilfe Zicken machte.

Endlich war aber auch Dumpy oben, und Feuerstuhl hob knatternd ab. Während sie über die Dächer der Stadt segelten, kniff Dumpy ganz fest die Augen zu.

Zum Glück dauerte der Flug nicht lange.

So früh am Morgen konnten sie den Drachen kurz am Hintereingang des Museums abstellen. Besucher kamen heute sowieso nicht, denn es war Montag, und am Montag war das Museum geschlossen.

»Well«, sagte Dumpy. »Bis Mortimer kommt, mach ich schnell noch meine Übungen!«

»Was für Übungen denn?«, fragten die Olchi-Kinder.

»Entspannungsübungen«, meinte Dumpy. »Solltet ihr auch mal machen!«

Er nahm Schwung, und dann stand er im Handstand da, die kurzen Beine kerzengerade in die Luft gestreckt.

Die Olchi-Kinder trauten ihren Augen kaum. Dass Dumpy so sportlich war, hatten sie ihm gar nicht zugetraut.

Paddock schmunzelte. »Well, kann ja nicht schaden, wenn ihm Blut ins Gehirn läuft! Ist sicher gut für die Konzentration.«

Eine ganze Weile stand Dumpy so da, ohne auch nur ein bisschen zu wackeln.

»Jetzt hör auf mit dem Quatsch, Dumpy«, sagte Paddock schließlich. »Da drüben kommt schon Mister Mortimer!«

Dumpy ließ sich wieder auf die Beine sinken.

»Oh my God! Eine sechsbeinige Riesenechse!«, rief der Museumsdirektor schon von Weitem, als er Feuerstuhl erblickte. »Wo habt ihr die denn her?«

»Das ist unser Drache«, sagten die Olchi-Kinder. »Den haben wir schon ganz lange!«

Mister Mortimer kam jetzt richtig ins Schwärmen. »Diese typische Schädelform! Die hohe Anzahl an Schwanzwirbeln! Auch die Kaumuskulatur erinnert an andere Theropoden. Er ist sicher Fleischfresser, nehme ich an?«

»Er trinkt nur Schmuddelbrühe«, sagten die Olchi-Kinder.

»Was für ein interessantes Tier!«, murmelte Mister Mortimer. Er kratzte sich am Kinn und betrachtete nachdenklich Feuerstuhls Auspuff. »Aber woher hat er dieses Ding? Habt ihr das nachträglich drangebaut?«

»Den Auspuff hatte er schon immer. Das gehört so«, erklärten die Olchi-Kinder.

Paddock erklärte Mister Mortimer, dass der Olchi-Drache jetzt das Dinoskelett bewachen sollte.

»Wonderful!«, meinte Mister Mortimer. »Der Museumswärter macht zwar auch am Montag hier seine Rundgänge, aber er kann den Allosaurus nicht ständig beaufsichtigen. So ein Drache ist sicher ein erstklassiger Wächter!«

Sie führten Feuerstuhl durch die hohe Eingangstür, und der Direktor zeigte ihnen den Weg durch einen langen Flur bis zum großen Saal, in dem die Dino-Skelette ausgestellt waren. Er deutete auf ein Gerippe, bei dem der ganze hintere Teil fehlte.

»Das ist unser Allosaurus. Oder vielmehr das, was von ihm übrig ist!«

»Smelly fishbone«, brummte Paddock. »Sieht ja wirklich übel aus!«

Der Olchi-Drache bekam seinen Platz auf einem Podest direkt neben dem Allosaurus-Skelett.

Mister Mortimer ging noch schnell nach nebenan in sein

Büro und kam mit einem Schild zurück, das er an Feuerstuhls Podest befestigte. Darauf hatte er geschrieben:

Sechsbeiniger Drache Feuerstuhl
Neuzeitlicher Nachfahre der Theropoda
Zeitraum 228 bis 65 Mio. Jahre
(Obertrias bis Oberkreidezeit)
Schuppen und Federn
Vorfahre der neuzeitlichen Vögel

»Halt schön die Augen auf, Feuerstühlchen«, sagten die Olchi-Kinder zu ihrem Drachen. »Wenn die Knochenklauer kommen, dann nebelst du sie mit Stinkerwolken ein und setzt sie außer Gefecht!«
»Ich habe letzte Nacht bereits zwei Halunken außer Gefecht gesetzt!«, erklärte Paddock noch einmal, und er erzählte auch Mister Mortimer von seinem Erlebnis an der Mauer. »Leider hab ich die Kerle vorher noch nie gesehen. Ich hab keine Ahnung, wer sie waren.«
Mister Mortimer sagte: »Aber Sie haben sie in die Flucht geschlagen! Excellent! Ich wusste doch, dass man sich auf Sie verlassen kann, mein lieber Paddock! Machen Sie weiter so!«
Dumpy durfte es sich auf einem Stuhl neben dem Eingang bequem machen. Von hier aus hatte er den ganzen Saal gut im Blick.
»Hier soll ich den ganzen Tag herumsitzen?«, grummelte er. »Und wenn mir langweilig wird?«

»Dann zählst du die Knochen der Dinos«, meinte Mister Paddock. »Das wird dir sicher die Zeit vertreiben.«
Mister Mortimer begleitete die anderen Olchis hinaus, verabschiedete sich von ihnen und sperrte die Museumstür sorgfältig hinter ihnen zu.
Dann ging er nach oben in sein Büro, denn auch heute am Montag wartete eine Menge Arbeit auf ihn.

Stadtbesichtigung

»London ist eine sehr große Stadt!«, sagte Mister Paddock zu den Olchi-Kindern. »Ich denke, während Dumpy
und Feuerstuhl Wache halten, kann ich euch ein paar
Sehenswürdigkeiten zeigen. Was haltet ihr von einer
kleinen Sightseeing-Tour?«

»Krötig!«, sagten die Olchi-Kinder.

In der Nähe der großen Brücke Tower Bridge kletterten
sie in einen staubigen U-Bahn-Schacht. Da unten kannte
der Olchi-Detektiv herrlich verschmuddelte Winkel und
Ecken, die die Olchi-Kinder sehr beeindruckten.

Doch das war längst noch nicht alles. Nicht weit vom
Buckingham-Palast, in dem die Königin wohnt, führte er
sie in einen herrlich vermüllten Tunnel. Hier huschten
eine Menge hungrige Ratten herum, und an den Wänden hingen schöne dicke Spinnweben. Die Olchi-Kinder
streichelten eine große graue Ratte und ließen sich ein
paar wunderbare alte Fish-and-Chips-Tüten schmecken.
Solche herrlichen Tüten gab es bei ihnen zu Hause nicht.
Sie liefen weiter zum Hyde Park, dem größten Park der
Stadt, fischten sich dort ein paar knusprige Cola-Dosen

aus den Abfallkörben und machten hinter einem Toiletenhäuschen ein gemütliches Picknick.

So schön hatten sich die Olchi-Kinder London gar nicht vorgestellt.

Anschließend stellten sie sich in der Nähe eines großen Turms an eine befahrene Straße und atmeten die krötigen Auspuffabgase ein.

Paddock erklärte ihnen, der große Turm heiße Big Ben. Der besonders schöne Klang seiner Glocken sei eines der Wahrzeichen Londons.

»Was sind denn Glocken?«, fragte das eine Olchi-Kind.

»Wir kennen nur Socken«, sagte das andere Olchi-Kind.

»Und besonders gut kennen wir Stinkersocken! Gibt es denn hier auch Stinkerglocken?«

»Well, das ist möglich, aber ich hab noch keine gesehen«, meinte Mister Paddock und freute sich, dass es den Olchi-Kindern in der Stadt so gut gefiel.

Er führte sie hinunter ans Ufer der Themse, wo er noch mehr olchige Plätze kannte. Hier am Fluss war es schön feucht und matschig, und sie setzten sich ans kalte Wasser und steckten die Füße in den dunkelgrauen Schlamm. Die Olchi-Kinder machten ein paar Matschknödel und pfefferten sie sich gegenseitig an die Knubbelnasen. Auch Mister Paddock bekam einen schönen fetten Matschklumpen an seine Melone.

Zu guter Letzt fanden sie auch noch eine große verrottete Fischgräte am Ufer, die sie Dumpy mitbringen wollten.

»Wir lieben Schlick und Schlamm und Schleim, das Leben kann nicht schöner sein ...«, summten die Olchi-Kinder zufrieden vor sich hin.

London war wirklich eine sehr krötige Stadt und Mister Paddock ein hervorragender Fremdenführer.

Schreck im Museum

Fritzi Federspiel war heute erst am späten Vormit-
tag aufgestanden. Da Mister Paddock mit den Olchis
unterwegs war, hatte sie heute einen freien Tag. Wie
immer hatte sie in einem kleinen Café eine Tasse Earl-
Grey-Tee und kleine Brötchen, die man Scones nennt,
gefrühstückt. Sie durchstöberte ein paar Buchläden
und kaufte sich etwas zu lesen. Der Himmel war immer
noch grau, aber zum Glück regnete es nicht mehr.
Sie setzte sich kurz auf eine Parkbank, blätterte in
ihrem Buch und futterte eine halbe Tafel Schokolade.
Heute hatte sie mal wieder einen ihrer Heimweh-Tage.
Sehnsüchtig dachte sie an das wundervolle Schmuddelfing, wo diese nette Olchi-Familie immer so gemütlich
vor sich hin muffelte. Und natürlich dachte sie auch
an Gammelsberg, wo in einem Eisenbahnwaggon am
Bahnhof das Versuchslabor von Professor Brausewein
stand. So lange war sie schon nicht mehr dort gewesen!
Manchmal ging ihr die Großstadt schrecklich auf die
Nerven.
Sie zerknüllte das Schokopapier und beschloss, einen
Spaziergang zum Naturkundemuseum zu machen.

Fritzi wusste, dass es heute geschlossen war. Trotzdem wollte sie nach dem Olchi-Drachen sehen, den Paddock und die Olchi-Kinder am frühen Morgen dorthin gebracht hatten. Vielleicht konnte sie ihn ja ein bisschen durchs Fenster beobachten?

Beim Museum war sie schon öfter gewesen. Sie kannte sich gut aus und ging direkt hinüber zum Seitenflügel, wo sich der Saal mit den Dinos befand. Bestimmt hatten sie den Drachen dorthin gebracht.

Fritzi zog sich am Fenstersims hoch und blinzelte in den dämmerigen Saal. Den Olchi-Drachen konnte sie nirgends entdecken.

Doch dann sah sie etwas sehr Merkwürdiges. Da drüben neben der Tür lag Dumpy lang ausgestreckt auf dem Fußboden. Schlief er nur, oder war ihm etwas Schlimmes zugestoßen?

Sie klopfte ans Fenster, aber niemand hörte sie, und Dumpy rührte sich nicht.

»Ach du lieber Himmel!«, murmelte Fritzi. Sie ahnte, dass hier etwas total schiefgelaufen war.

Gern hätte sie jetzt Mister Paddock angerufen. Doch der hatte ja kein eigenes Handy und weigerte sich standhaft, eines anzuschaffen. Manchmal war er wirklich schrecklich altmodisch! Da fiel ihr ein, dass sie ja noch die Nummer von Mister Mortimer gespeichert hatte.

»Hello?«, meldete sich der Museumsdirektor.

»Hier ist Fritzi Federspiel vom Detektivbüro Paddock!«,

sagte sie atemlos. »Schnell, machen Sie mir die Tür auf!
Ich stehe am Hintereingang! Da drinnen liegt Mister
Paddocks Gehilfe auf dem Boden und rührt sich nicht!«
»One moment, please, ich bin gleich da«, antwortete
Mister Mortimer.
Eine Minute später sperrte er die kleine Seitentür auf
und ließ Fritzi herein. Sie hasteten den langen Flur
entlang hinüber zum Dino-Saal.
»Dumpy!«, rief Fritzi. »Was ist los mit dir?« Sie beugte
sich über ihn. Anscheinend schlief er tief und fest.

Mister Mortimer untersuchte währenddessen das Allosaurus-Gerippe.

»Alles o. k. Es fehlen keine neuen Knochen!«, stellte er
erleichtert fest.

Doch dann fiel sein Blick auf das Podest, auf dem sie den
Drachen Feuerstuhl abgestellt hatten. Es war leer.

»Wie kann denn das sein? Das verstehe ich nicht …«
Mister Mortimer klang völlig verwirrt. »Der Drache kann
sich doch nicht in Luft aufgelöst haben! Und aus dem
Gebäude ist er sicher nicht entwischt, ich habe garantiert
die Tür abgesperrt.«

»Dann hat ihn jemand geklaut«, rief Fritzi aufgeregt. »Es
gibt hier anscheinend nicht nur Knochenklauer, sondern
auch Drachenklauer!«

Mister Mortimer meinte: »Aber so ein großer Drache
lässt sich doch nicht einfach klauen! Der verteidigt sich
doch, oder?«

Die Sache war wirklich eigenartig. Da entdeckten sie
neben dem Podest einen Putzlappen, der verdächtig nach
Chloroform roch.

»Alles klar«, rief Fritzi. »Dumpy und der Drache wurden
mit Chloroform betäubt!«

»So scheint es in der Tat«, meinte Mister Mortimer.
»Aber wer um alles in der Welt entführt einen Drachen?«

Das konnte ihm Fritzi auch nicht sagen. Sie rüttelte
Dumpy an der Schulter, bis er endlich die Augen auf-
machte.

»What? Who? When? Where?«, murmelte er und hielt sich den schmerzenden Kopf. Anscheinend war er ziemlich benommen.

»Man hat dich mit Betäubungsmittel eingeschläfert, mit Chloroform«, erklärte ihm Fritzi. »Weißt du, wer das war?«

»Keine Ahnung. Hab nichts gesehen«, murmelte Dumpy. »Kann mich an gar nichts erinnern. Oh sacred sock, hab ich Kopfweh!«

»Dumpy! Du musst dich erinnern! Wo ist der Olchi-Drache?«, fragte Fritzi.

»Dirty devil!« Dumpy starrte auf das leere Podest. »Eben war er doch noch da!«

»Das wissen wir auch«, brummte Mister Mortimer. »Na, Sie sind mir ja keine große Hilfe …«

Dumpy rappelte sich hoch. Er schwankte ein bisschen und machte ein paar unsichere Schritte. Um ein Haar hätte er das Allosaurus-Skelett umgerempelt.

»Aufpassen!«, rief Mister Mortimer erschrocken.

»No problem, hab alles im Griff«, brummte Dumpy. Sie gingen hinüber zum Hinterausgang.

»Seht euch das an!« Mister Mortimer schüttelte ungläubig den Kopf und zeigte auf die kaputte Tür. »Es ist immer dasselbe! Irgendjemand hat die Alarmanlage außer Betrieb gesetzt und mit einem Stemmeisen das Schloss aufgebrochen! Was mich das schon wieder kostet!«

Er lief zurück, um den Hausmeister zu verständigen, denn bis ein Schlosser eintraf, musste die Tür erst mal notdürftig verriegelt werden.

Dumpy wollte nun an der Türklinke Fingerabdrücke nehmen, so wie er es bei Mister Paddock gelernt hatte. Er kramte ein paar Utensilien aus seiner Tasche: einen feinen Pinsel, Klebefolie, ein Blatt Papier und ein Fläschchen mit Rußpulver. Er zog sich dünne Gummihandschuhe an und setzte eine Atemmaske auf.

»Damit ich das Rußpulver nicht wegpuste!«, meinte er. Ganz vorsichtig strich er nun das feine schwarze Pulver mit dem Pinsel auf die Türklinke, und tatsächlich wurden ein paar Fingerabdrücke sichtbar. Dumpy sicherte sie mit der Klebefolie und klebte sie am Ende auf das weiße Papier. Deutlich sah man jetzt die schwarzen Linien zweier unterschiedlicher Fingerkuppen.

»Gute Arbeit«, sagte Fritzi. »Vielleicht haben wir jetzt eine erste heiße Spur!«

Nun mussten sie so schnell wie möglich zurück ins Detektivbüro. Sie liefen zur Hauptstraße, winkten ein vorbeifahrendes Taxi heran und ließen sich auf dem schnellsten Weg zurück in die Hazy Lane bringen.

Perry Pimple

Auch Mister Paddock und die beiden Olchi-Kinder waren inzwischen wieder im Gully-Büro eingetroffen.

»Stell dir vor, Fritzi, der Herr Paddock hat uns die ganze Stadt gezeigt! Wir haben so viele krötige Sachen gesehen!«, schwärmten die Olchi-Kinder.

»Das freut mich. Aber setzt euch erst mal. Ich habe leider keine guten Nachrichten für euch«, sagte Fritzi. »Euer Drache ist nämlich entführt worden.«

»Wie bitte?«, riefen Mister Paddock und die Olchi-Kinder wie aus einem Mund.

»Tja«, sagte Fritzi. »Man hat das Schloss aufgebrochen und ihn einfach mitgenommen.«

»Und mich haben sie betäubt!«, rief Dumpy. »Mit einer Klo-Rohr-Form! Keine Ahnung, was das war. Wirklich blöd, dass ich mich an nichts erinnern kann. Hab so gut geschlafen wie noch nie. Aber jetzt hab ich Kopfweh.«

»Käsiger Knochenfurz«, riefen die Olchi-Kinder empört.

»Wir wollen unseren Drachen wiederhaben! Filziger Pampenwurm, wie kommen wir denn ohne ihn wieder zurück nach Schmuddelfing?«

»Macht euch mal keine Sorgen«, meinte Mister Paddock.

68

»Nun heißt es, klaren Kopf und Ruhe bewahren. Ich werde euren Drachen schon wiederfinden.«

Doch er wusste, das würde nicht leicht werden. Feuerstuhls Verschwinden hatte ihm gerade noch gefehlt. Es verkomplizierte die Sachlage ungemein.

»Wir haben Fingerabrücke auf der Türklinke gefunden«, sagte Dumpy.

»Sehr gut!«, rief Paddock. »Es waren mit Sicherheit dieselben Halunken, die auch die Knochen gestohlen haben. Fritzi, setz dich doch bitte an den Computer und sieh nach, ob wir die Fingerabdrücke identifizieren können!«

Fritzi schaltete den Rechner ein und machte sich an die Arbeit.

In Paddocks Datenbank waren eine Menge Fingerabdrücke stadtbekannter Ganoven gespeichert. Diese verglich sie nun mit den Abdrücken, die sie an der Türklinke gefunden hatten.

»Bingo!«, rief sie nach einer Weile. »Volltreffer! Wir haben eine Übereinstimmung! Es ist Perry Pimple!«

»Cheesy sock!«, knurrte Paddock. »Schon wieder dieser Pimple!«

Er erklärte den Olchi-Kindern: »Der Kerl gehört zur Bande von Firebomb Jack, und ich hab ihn schon einmal überführt. Vor ein paar Jahren hat er ein Pferd der Königin geklaut.«

»Er gehört zu den Ratten von London, der gefährlichsten Bande der Stadt!«, wusste Dumpy.

69

»Und dieser Pimpel hat jetzt auch unseren Feuerstuhl
geklaut?«, fragten die Olchi-Kinder. »Er klaut also immer
Pferde und Drachen?«

»Und Knochen!«, sagte Fritzi.

»Well, wir werden das aufklären«, meinte Paddock. »Zuerst einmal müssen wir ihn finden. Wo fangen wir an zu
suchen, Dumpy?«

Sein Gehilfe musste nicht lange nachdenken.

»Ich denke, natürlich wie immer im Boxclub!«

»Gute Idee!«, bestätigte Paddock. »Dort findet man die
Ratten immer. Werde mich gleich mal auf die Stinker-

socken machen. Aber Fritzi bleibt besser hier. Dieser
Club ist ein ziemlich mieser Schuppen.«
Auch Dumpy wollte lieber nicht mitkommen. Wegen
seiner Kopfschmerzen musste er sich einen nassen Putz-
lappen auf die Stirn legen und sich dringend auf dem
Sofa ausruhen.
»Beim Krötenfurz, wir kommen aber gerne mit!«, sagten
die Olchi-Kinder. »Wir werden diesem Pimpelchen die
Hörhörner lang ziehen!«
»Perry Pimple ist kein Olchi«, sagte Paddock. »Er hat
keine Hörhörner.«
Er ging zu einer alten Kiste, die in der Ecke stand, kramte darin herum und holte eine Ratte heraus.
»Das ist Fido«, erklärte er den Olchi-Kindern. »Auch so
eine von Brauseweins nützlichen Erfindungen. In Fido
ist ein elektronisches Abhörgerät eingebaut. Hat mir
schon oft gute Dienste geleistet. Vielleicht können wir sie
brauchen …«
Er verstaute die Ratte in seiner Manteltasche, nahm
seinen schönen neuen Schirm und machte sich mit den
Olchi-Kindern auf den Weg zum Boxclub.

K. o. in der ersten Runde

Der Boxclub lag im Stadtteil Soho. Hier gab es eine Menge Wettbüros, Spielkasinos und Nachtclubs, und in den meisten von ihnen war Mister Paddock schon gewesen. Rein beruflich, versteht sich.

Sie fuhren mit der U-Bahn. Paddock kannte eine Abkürzung hinunter zu den U-Bahn-Gleisen, sodass sie auf den Bahnsteig gelangten, ohne einer Menschenseele zu begegnen. Natürlich lösten sie auch keinen Fahrschein, denn als Olchis fielen sie in so einer U-Bahn nur unangenehm auf. Und Aufsehen wollte Mister Paddock so gut es ging vermeiden.

»Well, ich hänge mich immer außen an den letzten Waggon«, sagte er zu den Olchi-Kindern. »Das ist sehr praktisch und gar kein Problem.«

Als die U-Bahn im Tunnel einfuhr, standen sie genau richtig. Sie kletterten hinten auf den letzten Wagen und klammerten sich an ihm fest. Kein Mensch hatte etwas bemerkt.

»Vorsicht! Das Ding fährt so schnell wie der Teufel!«, warnte Mister Paddock.

Die Olchi-Kinder fanden die Fahrt sehr spannend. Mit

lautem Getöse donnerte die U-Bahn durch den dunklen, engen Tunnel, viel lauter noch als ihr Drache Feuerstuhl. Und der scharfe Fahrtwind wirbelte ihre harten Olchi-Haare lustig hin und her.

So fuhren sie bis zur Station Piccadilly Circus, sprangen dort zurück auf den Bahnsteig und liefen die Treppe hoch zur Straße. Paddock hinkte wieder ein bisschen, denn immer noch spürte er sein Knie. Doch darauf konnte er jetzt keine Rücksicht nehmen.

Den Rest des Weges gingen sie zu Fuß. Nur Eingeweihte kannten den Boxclub, in dem die Olchis Perry Pimple vermuteten. Er lag im Keller eines Hinterhofs, der von der Straße aus nicht zu erkennen war.

»Let's go!«, sagte der Detektiv. Eine steile Treppe führte hinunter zu einer schwarzen Stahltür. »Jacky's Sport-club« stand darauf geschrieben.

Als sie eintraten, bemerkten sie sofort einen ranzigen Geruch. Es war eine angenehm olchige Mischung aus Bierdunst, Tabakrauch und Schweiß.

Die Olchi-Kinder atmeten genüsslich ein und schauten sich neugierig um. Ein schmaler Flur führte an altmodischen Duschen vorbei zu einem Umkleideraum. Hier standen abgeschabte Metallspinde für die Klamotten herum, und an den Wänden hingen Boxhandschuhe, Bademäntel und Handtücher. In einem Regal sahen sie ein Paar Boxerstiefel mit sehr langen Schuhbändern. Die Olchi-Kinder liebten Schuhbänder. Sie verspeisten sie wie Spaghetti und wenn möglich roh. Aber Olchi-Mama konnte auch wundervollen Schmuddeltopf damit kochen. Als Paddock sah, wie sie sich erwartungsvoll die Lippen leckten, knurrte er: »Lasst die Finger davon! Wir wollen hier keinen Ärger!«

Er führte die Olchi-Kinder nach nebenan in die Boxhalle. An der Wand hingen Bilder von blonden Frauen und von Boxern, die irgendwelche Preise gewonnen hatten.

In der Mitte der Boxhalle sahen sie den Boxring. Zwei muskelbepackte Männer lieferten sich gerade einen kleinen Trainingskampf.

Die beiden Kämpfer hüpften in kleinen Schritten unruhig hin und her und versuchten dabei immer wieder, sich mit den Fäusten auf die Nasen zu hauen. Das war anscheinend gar nicht so einfach, denn man hörte sie keuchen und stöhnen, und sie schwitzten dabei wie in einer Sauna.

»Filzige Matschbeule!«, meinten die Olchi-Kinder. »Da würden wir auch gern ein bisschen mitmachen!«

»Well, das lasst mal lieber bleiben«, meinte Mister Paddock.

Er hatte mit einem Blick gesehen, dass Perry Pimple nicht hier in der Halle war. Vielleicht war er ja nebenan, im Aufenthaltsraum der Clubmitglieder?

»Nun kommt schon!«, zischte er den Olchi-Kindern zu. Doch die standen inzwischen drüben in der Ecke neben einem dicken Mann, der mit seinen Boxhandschuhen einen Sandsack bearbeitete. Er gab sich die größte Mühe, das zentnerschwere Ding, das da von der Decke hing, so richtig zu vermöbeln.

»Er trainiert«, stellte das eine Olchi-Kind fest.

»Ich will auch trainieren«, meinte das andere Olchi-Kind. Es schob den verdutzten Boxer einfach zur Seite und versetzte dem Sandsack ein paar kräftige Schläge mit seiner kleinen Olchi-Faust.

Schon nach dem vierten Schlag platzte das Leder des Boxsacks auf. Durch einen breiten Riss rieselte feiner Sand auf den Fußboden.

»That's incredible!« Der dicke Boxer schüttelte erstaunt den Kopf. »Du hast den Sandsack fertiggemacht!«

Auch Mister Paddock wunderte sich.

»Nicht übel!«, sagte er. »Eines Tages werde ich euch noch zu meinen persönlichen Leibwächtern machen.«

Die Olchi-Kinder folgten ihm kichernd nach nebenan in den Clubraum. Auf hohen Barhockern saßen drei zwielichtige Gestalten. Sie hatten Zigaretten im Mund und halb leere Biergläser vor sich auf dem Tresen. Weiter hinten sahen die Olchis drei weitere Männer an einem runden Tisch Karten spielen.

»Gentlemen!«, rief Paddock gut gelaunt und grüßte in den Raum, indem er seine schwarze Melone ein Stückchen anhob. Die Männer drehten alle gleichzeitig den Kopf zur Tür. Ihre Blicke waren misstrauisch und nicht gerade freundlich.

»Na so was«, knurrte einer der Kartenspieler. »Der Herr Detektiv bringt seine Verwandtschaft mit!« Anscheinend kannte man Paddock hier.

»Wir sind keine Verwandtschaft«, erklärte ihm das eine Olchi-Kind.

»Wir sind die Olchis aus Schmuddelfing!«, sagte das andere Olchi-Kind.

Die Männer lachten, und einer von den Barhocker-Typen fragte: »Was suchst du hier, Paddock? Bist du wieder mal auf Verbrecherjagd?«

Der Mann hatte eine erstaunliche Hakennase. Lang und spitz und gar nicht olchig. Seine Füße steckten in hohen Boxerschuhen, und sein schmuddeliger Bademantel war vielleicht irgendwann mal weiß gewesen. Er stand vorne offen, sodass man eine behaarte Brust und sehr kräftige Bauchmuskeln sehen konnte.

»Ich suche Perry Pimple«, sagte Mister Paddock. »Hat ihn vielleicht einer von euch geseh…«

»Perry?«, unterbrach ihn die Hakennase. »Keine Ahnung. Er war schon lange nicht mehr hier.«

Die Olchis spürten sofort, dass das nicht stimmte.

»Was willst du von ihm?«, rief einer der Männer vom Kartentisch. »Der gute Perry hat doch nichts ausgefressen, oder?« Der Mann trug ein Unterhemd, hatte kaum noch Haare auf dem Kopf, aber dafür jede Menge Tätowierungen an den Armen. Sein Gegenüber knallte eine Spielkarte auf den Tisch.

»Ist doch ein braver Junge, unser Perry. Tut keiner Fliege was zuleide!«

Die Hakennase fragte: »Wieso hast du denn heute Verstärkung mitgebracht, Paddock?« Seine spitze Nase deutete mit einer zackigen Bewegung auf die Olchi-Kinder.

»Muffelfurz und Läuserich!« Das Olchi-Kind stieß mit seinen kleinen Fäusten in die Luft. »Wir wollen hier auch ein bisschen boxen! Los, ihr Pampwürmer! Wer von euch traut sich?«

Mister Paddock zog warnend die Augenbrauen hoch.

»Lass den Quatsch!«, zischte er.

»Beim Krötenfurz!«, riefen jetzt beide Olchi-Kinder. »Los,

ihr traurigen Stinkstiefel! Wer mag mit uns boxen? Ihr schleimigen Saftlappen, bewegt endlich eure grätzigen Käsefüße!«

Für einen Augenblick wurde es totenstill im Raum. Die Männer glotzten die Olchi-Kinder ungläubig an. Dann brachen alle gleichzeitig in lautes, schallendes Gelächter aus.

»Das hier ist kein Kindergarten«, sagte der Tätowierte und drückte seine Zigarette aus. »Und nun mach dich vom Acker, Paddock. Nimm die Bälger mit und zieh Leine!«

Aber so ließ Mister Paddock nicht mit sich reden. Er stampfte verärgert mit seinem Regenschirm auf den Fußboden und rief: »Was soll das? Die Kinder möchten hier gern ein bisschen Sport treiben! Hat vielleicht jemand etwas dagegen? Sportbegeisterter Nachwuchs muss gefördert werden, findet ihr nicht?«

»Ja, genau!«, bestätigten die Olchi-Kinder und nickten heftig mit dem Kopf. Doch Mister Paddock war noch nicht fertig.

»Ist das hier nur ein mieses Rattenloch, oder sind wir hier in einem anständigen Boxclub?«, fragte er in die Runde. Inzwischen war er näher an den Tresen getreten. Klammheimlich, ohne dass es jemand bemerkte, befestigte er seine elektronische Abhör-Ratte unten an der Holzplatte.

»Na gut, o. k.«, meinte einer der Kartenspieler. Er trug

einen Nadelstreifenanzug, und seine Füße steckten in Stiefeln, die genauso glatt poliert aussahen wie seine runde Glatze. »Wenn diese beiden Grünschnäbel unbedingt wollen, dann lassen wir sie eben für zehn Minuten an den Boxsack.«

»Da waren wir schon«, meinte das eine Olchi-Kind. »Den hab ich leider kaputt gemacht.«

»Sehr witzig«, sagte der Glatzenmann. »Los, Larry! Gib ihnen ein kleines Einführungstraining.«

Larry war die Hakennase. Anscheinend war er zuständig für das Nachwuchstraining. Er leerte sein Glas in einem Zug, wischte sich mit dem Handrücken über den Mund und sagte: »Let's go!«

Paddock und die Olchi-Kinder folgten ihm nach nebenan in die Boxhalle. Dort hatte der dicke Boxer inzwischen den Sandsack abmontiert, der nun ramponiert auf dem Fußboden lag.

Der dicke Boxer zeigte auf das eine Olchi-Kind: »Das war der Kleine! Er hat ihn kaputt gemacht.«

»Rubbish!«, knurrte Larry. »Sicher ein Materialfehler. Bring das Ding nach draußen und lass es reparieren, Mike!«

Er ging hinüber zu einem Schrank und holte einigermaßen passende Boxhandschuhe für die Olchi-Kinder. Doch die großen Handschuhe reichten ihnen immer noch bis oben an die Ellbogen. Mister Paddock musste sie ganz fest zuschnüren, damit sie hielten.

Auch Larry streifte sich seine Boxhandschuhe über. Der Ring war inzwischen frei, denn die beiden Boxer hatten ihr Training beendet und waren jetzt draußen beim Duschen.

Das eine Olchi-Kind kletterte durch die Seile in den Ring, schwang die Fäuste und begann, lustig hin und her zu hüpfen.

»Muffelfurzteufel! Ich bin als Erster dran!«

Die Hakennase folgte ihm grinsend. Man sah jetzt deutlich, dass ihm ein Schneidezahn fehlte.

»Wenn das nur gut geht. Smelly sock!«, murmelte Paddock und knetete nervös den Griff seines Regenschirms.

Larrys Oberarme waren so dick wie ein mittelgroßer Baumstamm, und sein überlegenes Grinsen ließ nichts Gutes ahnen.

»So, Kleiner, nun hör mir gut zu!«, sagte Larry. »Erste Regel: Immer Deckung halten!«

Er nahm die Fäuste nach oben vors Gesicht, und das Olchi-Kind musste es ihm nachmachen.

»Gut so!«, rief Larry. »Und nun versuch einfach mal, mich zu treffen, o.k.?«

Er tänzelte ein bisschen hin und her und hatte dabei immer noch die Fäuste vor dem Gesicht.

»Schlag ruhig so fest zu, wie du kannst! Come on!«

»Wanziger Fliegenschiss«, sagte das Olchi-Kind. »Bist du sicher?«

»Na los, mach schon! Sei kein Feigling!«, rief Larry.

Als das Olchi-Kind blitzschnell zuschlug, machte es nur leise WUMM.

Seine olchige Rechte traf Larry hart am Kinn. Verblüfft sah Paddock, wie Larry die Fäuste sinken ließ und nach hinten taumelte. Mit glasigem Blick glotzte er das Olchi-Kind ungläubig an, dann sackte er in die Knie. Er fiel nach hinten um, und mit einem noch lauteren WUMM knallte sein Körper auf den Ringboden.

»Du hast ihn k. o. geschlagen! Oh my God, mit einem Schlag!«, stieß Paddock aus.

Die Hakennase rührte sich nicht mehr. Mister Paddock kletterte, so schnell er konnte, in den Ring und fühlte ihm den Puls.

»Alles in Ordnung, denke ich«, stellte er erleichtert fest. »Klassischer K. o. in der ersten Runde. Nehme an, in ein paar Minuten wird er wieder zu sich kommen. Well, ich denke, wir sollten in der Zwischenzeit besser verschwinden.«

»Und ich?«, sagte das andere Olchi-Kind enttäuscht. »Ich will doch auch noch mit ihm boxen!«

Doch davon wollte Paddock nichts hören.

»Quick! Hurry up!«, rief er. So schnell es ging, zog er den Olchi-Kindern die Boxhandschuhe aus, und eine Minute später waren sie auch schon wieder draußen auf der Straße.

Heiße Spur nach Chinatown

»Seid still! Ich muss hören, was Fido überträgt!«,
sagte Mister Paddock zu den Olchi-Kindern. »Hab
die Abhör-Ratte vorhin unter dem Tresen befestigt.«
Er nahm die Melone ab und hielt sich die Hörstöpsel des
Empfängers an seine Hörhörner.
»Sag schon! Was hörst du?«, fragten die Olchi-Kinder
ungeduldig.
»Pssst!«, zischte Paddock und legte den Zeigefinger an den
Mund.
Die Olchi-Kinder sahen ihn eine ganze Weile gespannt
lauschen.
»Rotten rat!« und »Smelly fishbone!« murmelte er immer
wieder.
Als er endlich genug gehört hatte, steckte er den Empfän-
ger in seine Manteltasche und setzte die Melone wieder auf.
»Nun erzähl schon! Was haben sie gesagt?«
»Larry ist anscheinend wieder auf den Beinen«, meinte
Paddock. »Er hat sich noch ein Bier genehmigt und ziem-
lich geflucht. Dass er so schnell k. o. gegangen ist, wurmt
ihn ganz schön.«
»Sonst noch was?«

»Sie haben sich über Wetteinsätze unterhalten. Ist nicht sehr interessant für uns. Aber dann hat einer etwas von einem Drachenfest gefaselt.«

»Von einem Drachenfest?« Die Olchi-Kinder waren alarmiert. »Muffelfurzteufel! Haben sie auch von Feuerstuhl geredet?«

»Well, habe nur gehört, wie sie von einem sechsbeinigen Vieh gesprochen haben«, sagte Paddock. »Damit könnte aber tatsächlich euer Feuerstuhl gemeint gewesen sein. Dieses Drachenfest soll angeblich in Chinatown stattfinden, wenn ich richtig verstanden habe.«

»In Chinatown? Was ist das denn?«

»Das ist ein Stadtviertel, in dem fast nur Chinesen wohnen«, erklärte Paddock.

»Krötig«, sagte das eine Olchi-Kind. »Dann gehen wir jetzt noch mal in den Boxclub hinein und fragen, ob unser Feuerstuhl bei diesen Chinesen ist!«

»Aber diesmal will ich mit Larry boxen!«, rief das andere Olchi-Kind.

Paddock schüttelte energisch den Kopf. »Auf gar keinen Fall! Das würde uns mit Sicherheit nicht gut bekommen. Außerdem würden sie uns garantiert nichts verraten.«

»Na gut, wenn du meinst.« Die Olchi-Kinder waren enttäuscht. »Beim Käserich, und was hast du sonst noch gehört?«, fragten sie.

»Sie haben von einer neuen Lieferung für den ›Boss‹ gesprochen. Keine Ahnung, was sie damit meinten.«

»Was für eine Lieferung denn? Und was für ein Chef?«
»Das mit der Lieferung hab ich nicht verstanden«, sagte
Paddock. »Aber der ›Boss‹ könnte Firebomb Jack sein.
Ich kombiniere: Wenn Firebomb Jack etwas mit dem
chinesischen Drachenfest zu tun hat, dann könnte er ein
Chinese sein! Daran hab ich noch nie gedacht.«
»Wir auch nicht«, sagten die Olchi-Kinder. »Dann gehen
wir jetzt eben schnell zu den Chinesen und suchen dort
nach Feuerstuhl und dem Feuerbomben-Jack!«
»So einfach ist das nicht«, sagte Paddock. »Ihr wisst ja,
auch ich habe diesen Halunken noch nie persönlich gesehen. Keiner weiß, wo er sich versteckt hält und wie er
aussieht. Man kennt höchstens ein paar seiner Helfershelfer, so miese Typen wie diesen Perry Pimple!«
»Und den Pimpel haben wir auch noch nicht gefunden«,
sagte das eine Olchi-Kind enttäuscht. »Wir finden den
Pimpel nicht, wir kennen Firebomb Jack nicht, wir
wissen nicht, wo unser Drache Feuerstuhl ist. Mistiger
Hühnerich, wir wissen überhaupt nichts!«
»Irrtum«, meinte der Detektiv. »Wir wissen bereits eine
ganze Menge. Habt ein wenig Geduld, ich werde den Fall
schon lösen!«

Die Suche beginnt

Als sie wieder im Büro waren, mussten sie sich erst einmal stärken. Auch Mister Paddock verspürte inzwischen einen olchigen Hunger, und Dumpy servierte ihnen einen kleinen Imbiss.

Aus einer Vorratskiste holte er alte Schuhe, ein paar Fish-and-Chips-Tüten, eine halb volle Flasche Spülmittel und eine schwere rostige Zange. Dazu gab es wie immer kalten Fischgrätentee.

Alle Olchis langten kräftig zu. Sie schmatzten und rülpsten, wie es sich für Olchis gehört, und ihre Olchi-Zähne knackten sogar die harte Eisenzange so leicht wie eine Butterbrezel. Als sie satt waren, legte Mister Paddock die Beine hoch und pupste zufrieden.

»Muss das denn unbedingt sein?«, murmelte Fritzi Federspiel und rümpfte die Stupsnase. Diese olchigen Tischmanieren waren für sie nach wie vor sehr gewöhnungsbedürftig. Sie saß gerade wieder am Computer und suchte im Internet nach Informationen über das Drachenfest in Chinatown.

»Hört zu, was da steht!«, sagte sie. »Am 31. Januar beginnt das chinesische Neujahrsfest. Das neue Jahr ist das

Jahr des Drachen! Und Drachen sind für die Chinesen ein Glückssymbol!«

»Interessant«, sagte Mister Paddock und pupste noch einmal.

»Der 31. Januar ist ja schon bald«, meinte Fritzi und hielt sich ein Taschentuch vor die Nase. »Und wenn Drachen als Glücksbringer gelten, dann hält vielleicht irgendjemand auch den Drachen Feuerstuhl für einen Glücksbringer! Vielleicht hat man ihn deshalb aus dem Museum entführt?«

»Gut kombiniert, Fritzi«, lobte sie Mister Paddock. »Feuerstuhl könnte diese geheimnisvolle Lieferung an den Boss sein!« Er pulte sich ein Stückchen Schuhsohle aus den Zähnen und spuckte es auf den Tisch. »Vielleicht ist der Olchi-Drache ein Geschenk für den Chef, zum chinesischen Neujahrstag? Well, ich denke, wir sollten nach Chinatown gehen. Bin mir fast sicher, dass sich Feuerstuhl dort befindet. Alle Anzeichen sprechen dafür.«

»Beim Läuserich, das sagen wir doch schon die ganze Zeit!«, riefen die Olchi-Kinder. »Worauf warten wir noch? Auf nach Chinatown!«

»Dumpy und Fritzi kommen am besten auch mit«, schlug Paddock vor. »Wir durchkämmen das ganze Stadtviertel. Mal sehen, was wir herausfinden!«

Er nahm seinen Regenschirm und setzte seine Melone auf.

Fritzi steckte sich sicherheitshalber noch eine Tafel

Schokolade in die Manteltasche. Dann waren sie start-klar.

Als sie aus dem Gully kletterten, kam ihnen Fido entgegen. Die elektronische Ratte hatte den Weg vom Boxclub hierher ganz allein gefunden.

»Immer kommt sie brav zurück«, sagte Dumpy. »Sie ist so ein schlaues Tierchen.«

»Schlau ist der Professor Brausewein«, meinte das eine Olchi-Kind. »Er hat Fido doch gebaut, oder? Darf ich sie mitnehmen?« Ohne eine Antwort abzuwarten, nahm es die Ratte und steckte sie in die Hosentasche.

Nach Chinatown fuhren sie wieder mit der U-Bahn. Fritzi löste einen Fahrschein und setzte sich auf einen freien Platz. Die Olchis aber hängten sich wie immer hinten an den letzten Waggon.

Als sie in Chinatown ausstiegen, bot sich ihnen ein buntes Bild. Alle Straßen waren für das Drachenfest herausgeputzt. Zwischen den Häusern hatte man Seile gespannt, an denen rote Lampions, prächtige Girlanden und rote Spruchbänder mit chinesischen Schriftzeichen hingen. Sogar an den Bäumen baumelten große rote Laternen aus chinesischer Seide. Papierdrachen in allen Größen lagen in den Schaufenstern der Geschäfte und Restaurants. Die Olchi-Kinder machten große Augen, denn so etwas gab es bei ihnen zu Hause in Schmuddelfing nicht. Vor dem Lokal »Hing Loon« hing ein Plakat

mit dem Programm für die Veranstaltungen, und Fritzi
las vor:

»Es wird gefeiert mit Musik, Tanz und Theater. Ein
Feuerwerk und einen Drachenumzug wird es auch noch
geben!«

»Ranziger Käsefuß«, riefen die Olchi-Kinder. »Und von unserem Feuerstuhl steht da nichts drauf?«

»Nein, leider nicht«, sagte Fritzi.

Das »Hing Loon« sah sehr einladend aus, und bei dem Gedanken an ein schönes Currygericht lief Fritzi das Wasser im Mund zusammen. Doch dafür war jetzt keine Zeit.

»Let's go!«, sagte Mister Paddock. »Mal sehen, ob wir irgendwo eine Spur von Feuerstuhl entdecken können. Ich denke, es ist am besten, wir trennen uns und suchen in allen Richtungen. Ich gehe nach Süden, und Dumpy geht nach Osten. Fritzi sucht im Norden und die Olchi-Kinder im Westen, o. k.?«

Den Olchi-Kindern musste Paddock erst erklären, wo Westen war, denn mit solchen Sachen kannten sie sich nicht aus. Sie waren aber sehr zuversichtlich, Feuerstuhl bald zu finden, und das eine Olchi-Kind begann fröhlich vor sich hin zu singen:

»Im Westen, im Westen, da sucht es sich am besten!
Fliegenfurz und Schleim von Schnecken,
wir werden bald schon Feuerstuhl entdecken!«

Dann trennten sich ihre Wege.

King Lu

Wie Mister Paddock angeordnet hatte, liefen die Olchi-
Kinder in westlicher Richtung. Es gab hier eine ganze
Menge neugierige Touristen, die nach Unterhaltung
suchten und sich kitschige Andenken kauften. Trotz
der Kälte saßen einige unter Sonnenschirmen in den
Straßencafés und tranken Tee. Aus kleinen Garküchen
am Straßenrand roch es nach gebratenen Fleischspieß-
chen und Nudelsuppe, und die Olchi-Kinder hielten die
Luft an und liefen möglichst schnell daran vorbei. Sie
drückten ihre Knubbelnasen an die Fensterscheiben der
Geschäfte und bestaunten die Auslagen. Hier wurden
chinesische Souvenirs angeboten, bunte Schirme, be-
malte Vasen, Teeschalen, Glückskekse, Essstäbchen und
tausend andere interessante Dinge.
Es gab Nüsse und Reis, frisches Obst und Gemüse, weiße Nudeln und dazu viele merkwürdige Sachen, die die
Olchi-Kinder noch nie im Leben gesehen hatten. Das
meiste gefiel ihnen überhaupt nicht, nur ein paar schwarze Tintenfische fanden sie sehr krötig.
In einem Schaufenster sahen sie ganze Schweineköpfe
liegen, und an der Decke baumelten gehäutete Kanin-

chen und geschlachtetes Federvieh. Das eine Olchi-Kind flüsterte entsetzt:

»Schau dir das an! Sie hängen tote Tiere auf! Ach du schlapper Schlammlappen! Wer weiß, was sie mit unserem Feuerstuhl gemacht haben?«

Schnell liefen sie weiter, mussten aber immer wieder bimmelnden Fahrrädern ausweichen, und die Leute drehten sich neugierig nach ihnen um. Echten Olchis begegnete man hier in London normalerweise nie. Und der Anblick der kleinen grünen Stinkerlinge war schon etwas sehr Außergewöhnliches.

Ein kleiner Junge rief: »Mama, schau mal! Das sind ja echte Olchis! Oh Mann, ich glaub's nicht! Es gibt sie also wirklich!«

Doch die Olchi-Kinder beachteten ihn nicht weiter, denn sie hatten jetzt Wichtigeres zu tun. Nach wie vor hatten sie keine Ahnung, wie sie in dem Gewimmel ihren Feuerstuhl finden sollten, und in den Geschäften sahen sie höchstens bunte Papierdrachen. Schließlich bogen sie in eine Seitengasse ein, in der ein paar angenehm duftende Müllkübel herumstanden.

»Schon besser«, meinte das eine Olchi-Kind erleichtert. Sie folgten der menschenleeren Gasse bis zu einem Hinterhof und standen plötzlich vor einer uralten Apotheke.

»Sieht nett aus«, meinte das andere Olchi-Kind.

Hinter der trüben Schaufensterscheibe erkannten sie Schalen mit schlammbraunem Pulver und knorrigen

Wurzelstücken. Das alles wirkte sehr verlockend, und neugierig öffneten sie die Tür.

Der verwinkelte Raum war ziemlich düster. Ein fischiger Geruch lag in der Luft. Kein Mensch war zu sehen. Überall stapelten sich Kisten, Säcke und Schachteln, in denen Fisch- und Schlangenhäute, getrocknete Würmer und Insekten, runzelige Blätter und die Hörner von irgendwelchen Tieren lagen.

Auf einem langen Holztisch sahen sie eine Waage und ein altmodisches Telefon, und in hohen Vitrinen standen die verschiedensten Glasgefäße mit Kräutern, Gewürzen und geheimnisvollen Pulvern. An der Längsseite stand ein Regal mit hundert kleinen Schubkästen, vermutlich auch sie gefüllt mit den wunderbarsten Dingen. Der ganze Raum machte auf die Olchi-Kinder einen sehr krötigen Eindruck.

»Kann ich helfen?«, hörten sie plötzlich eine krächzende Stimme.

Hinter einem Kistenstapel war ein alter Chinese aufgetaucht.

»Sucht ihl etwas Bestimmtes?«, fragte er noch einmal. Er hatte kaum Haare auf dem Kopf, und sein runzeliges Gesicht blickte sie herausfordernd an. Vorne auf der Nase saß eine winzige Brille, und an seinem Kinn hing ein langer weißer Ziegenbart.

»Wir suchen nach dem Drachen Feuerstuhl«, sagte das eine Olchi-Kind.

»So, so, so«, meinte der Apotheker. »Dlache habe ich nicht hiel. Aber ich kann euch Klokodil anbieten. Die Haut von Klokodil ist sehl gut gegen Lückenschmelz.« Er nickte heftig mit dem Kopf.

»Wir haben leider nie Rückenschmerz«, erklärte ihm das andere Olchi-Kind.

»So, so, so. Das fleut mich«, sagte der Apotheker. »Mein Name ist King Lu. King Lu kann helfen bei allen Klankheiten! Nicht nul bei Lückenschmelz. Auch Kopf, Helz, Niele und Bauch!«

»Wir haben auch nie Bauchweh«, sagte das eine Olchi-Kind. »Wir sind eigentlich nie krank.«

»So, so, so«, sagte King Lu.

»Nur wenn wir aus Versehen etwas Frisches essen, dann bekommen wir immer bunte Flecken«, erklärte das andere Olchi-Kind.

»Oh! Flecken sehl schlecht!« King Lu strich sich den Ziegenbart glatt. »Habe plima Medizin gegen Flecken!«

Er öffnete eine Schublade, holte eine kleine Schachtel heraus und hielt sie den Olchi-Kindern vor die Nasen. Das Zeug darin roch gar nicht übel.

»Pulvel von getlocknetem Skolpion«, erklärte er. »Zwei Löffel davon in heiße Milch und Zuckel dazu. Dann galantielt Flecken weg! Abel viel Zuckel muss sein. Zuckel sehl wichtig!«

»Muffelfurzteufel!«, riefen die Olchi-Kinder. »Wir mögen

leider keinen Zucker. Und Milch mögen wir auch überhaupt nicht!«

»So, so, so«, sagte King Lu. »Das ist abel sehl schade. Dann kann ich nicht helfen.«

»Wenn wir Flecken haben, dann essen wir immer Olchi-Mamas Stinkerkuchen, das hilft auch«, meinte das eine Olchi-Kind.

King Lu zuckte die Achseln. »Hab nie gehölt von Stinkelkuchen! Müsst mil einmal eine Plobe blingen.«

»Das machen wir gerne«, versprachen die Olchi-Kinder. »Beim Muffelfurz, wenn wir mal wieder hier sind, bringen wir dir was mit!«

»So, so, so! Das fleut mich! Na dann auf Wiedelsehen und viel Glück!«

King Lu war wieder hinter seinem Kistenstapel verschwunden.

Auf dem Weg zur Tür fiel den Olchi-Kindern ein Pappkarton auf.

»Schau mal!«, flüsterte das eine Olchi-Kind aufgeregt. »Könnten das nicht Dinosaurierknochen sein?«

Im Karton lagen ein paar ziemlich große weiße Knochen. Und die erinnerten stark an die Knochen vom Allosaurus-Gerippe aus dem Museum.

»Sehr verdächtig, beim Kröterich!«, flüsterte das andere Olchi-Kind. »Das könnten die geklauten Knochen sein. Wir nehmen einen davon mit, dann kann ihn Paddock ja mal untersuchen.«

97

Schnell und heimlich fischte das Olchi-Kind einen Knochen aus der Schachtel und ließ ihn unter seinem T-Shirt verschwinden.

»Jetzt bist du auch ein Knochenklauer!«, kicherte das andere Olchi-Kind.

»Wieso denn? Wenn er nicht vom Dino ist, dann können wir ihn ja wieder zurückbringen«, meinte das eine Olchi-Kind.

Als sie aus der Tür treten wollten, versperrten ihnen plötzlich zwei Männer in schwarzen Lederjacken den Weg. »Ihr habt da etwas, das euch nicht gehört«, knurrte der Kleinere der beiden und packte das eine Olchi-Kind fest am Arm. Mit sicherem Griff zog er den weißen Knochen wieder unter dem Olchi-T-Shirt hervor.

»Beim Kröterich!«, rief das Olchi-Kind. »Nimm deine Finger weg!«

»Werd nur nicht frech!«, raunzte der Große. »Knochenklauer mögen wir hier gar nicht!« Er hatte die Hände in den Jackentaschen, und sein dicker Bauch kam bedrohlich näher.

»Wir klauen nicht«, sagte das eine Olchi-Kind. »Wir leihen nur aus!«

Der Große durchbohrte das Olchi-Kind mit seinem finsteren Blick und knurrte:

»Das hier ist kein Leihhaus! Das kannst du deiner Großmutter erzählen!«

Und der Kleinere der beiden schnauzte die Olchi-Kinder

an: »Was wollt ihr mit dem Ding? Los, raus mit der Sprache! Oder soll ich euch erst die Ohren lang ziehen?«
»Wir haben keine Ohren«, erklärte das andere Olchi-Kind. »Wir haben Hörhörner!«
Das eine Olchi-Kind griff instinktiv in seine Hosentasche und schaltete den Sender von Paddocks Abhör-Ratte ein. Hoffentlich konnte Paddock das Signal von Fido empfangen! Er musste unbedingt mithören, was hier vor sich ging!
»Wer ist euer Auftraggeber?«, knurrte der Große.
»Los, raus mit der Sprache!«, knurrte der Kleine.

99

Noch einmal packte er das Olchi-Kind fest am Arm und schüttelte es hin und her.

»Schlapper Pamperich!« Das Olchi-Kind machte sich los. Es überlegte, ob es dem Kerl nicht einfach einen Kinnhaken verpassen sollte, so wie Larry im Boxclub.

»Ihr seid mir ja schöne Früchtchen«, knurrte der Große. »Ich will jetzt sofort wissen, wieso ihr diesen Knochen geklaut habt! Wer hat euch geschickt? Wer hat euch den Auftrag dazu gegeben?«

»Welchen Auftrag?«, fragte das andere Olchi-Kind. »Wir haben keinen Auftrag. Wir wollen uns nur den schönen Knochen ein bisschen ausleihen!«

»Aber warum?«, zischte der Große. »Spuck es endlich aus, Kleiner!«

»Weil, weil …«, stammelte das eine Olchi-Kind und wusste nicht recht, was es antworten sollte. »Weil er vielleicht aus dem Museum ist!«, sagte es schließlich.

Die Gesichter der beiden Männer waren schlagartig noch ein Stück finsterer geworden. Plötzlich hatten beide einen Lappen in der Hand. Mit einer blitzschnellen Handbewegung drückten sie den Olchi-Kindern die Lappen auf ihre Knubbelnasen.

»Mmmmh!«, machten die Olchis, denn dieser krötige Geruch war wirklich sehr angenehm. Es war der scharfe Geruch von Chloroform.

Instinktiv atmeten sie tief ein, und das Betäubungsmittel wirkte sofort. Schon nach ein paar Atemzügen verloren sie die Besinnung. Sie sanken auf den Boden und fielen augenblicklich in einen tiefen Schlaf.

»Na also«, brummte der kleinere der beiden Männer.

»Wir kümmern uns später um sie«, meinte der Große.

Sie hoben die Olchis hoch und trugen sie quer durch die Apotheke hinüber zum Hinterausgang.

King Lu lugte hinter seinem Kistenstapel hervor, zupfte an seinem Ziegenbart und krächzte: »So, so, so, wal das wilklich nötig? Es sind doch nul Kindel!«

»Na und?«, knurrte der Große.

»Sie wissen zu viel«, brummte der Kleine.

Hinter der Apotheke gab es einen Lagerschuppen.

Darin legten die Männer ihre beiden Gefangenen auf dem Betonboden ab.

Sie verschlossen die schwere Eisentür und stapften mit grimmigen Gesichtern davon.

Was Paddock hört,
gefällt ihm gar nicht

Der Olchi-Detektiv hatte in der Zwischenzeit im Süden jede Menge Gassen durchkämmt. Er hatte die dunkelsten Hinterhöfe observiert, Gespräche belauscht und in hundert Fenster und hinter noch mehr Türen geguckt. Die Sucherei machte ihm nichts aus, denn so etwas gehörte zu seinem Job und war für ihn Routine. Inzwischen hatte er seine Detektivbrille aufgesetzt. Mit ihrer Hilfe konnte er nicht nur genau beobachten, was vor ihm passierte, sondern auch, was schräg neben ihm und hinter ihm vor sich ging.

Obwohl er immer noch keine Spur von Feuerstuhl entdeckt hatte, war Mister Paddock nach wie vor zuversichtlich und guter Dinge. Im Hinterhof eines Restaurants hatte er gerade zur Stärkung ein bisschen aus der Mülltonne genascht. Feinsten Stinkermüll, mindestens eine Woche alt. Zufrieden summte er ein Liedchen vor sich hin. Er hatte keine Ahnung, warum er plötzlich so gut gelaunt war.

Vielleicht, weil ihm seine olchige Nase sagte, dass sie auf

der richtigen Spur waren. Vielleicht, weil er hoffte, mit
ein wenig Glück sogar Firebomb Jack aufzuspüren.

Ein unangenehmes Geräusch riss ihn aus seinen Träu-
mereien.

Es war das Piepsen seines Empfängers, den er unter der
Melone trug. Ein Signal von Fido!

»Rusty stinkpot!«, brummte der Detektiv. Schnell lüpfte
er seine Melone und schaltete das Gerät ein.

Der Empfang war leider nicht besonders gut. Mister Paddock musste sich richtig anstrengen, alles zu verstehen.
Was er da hörte, gefiel ihm gar nicht.

»Wer ist euer Auftraggeber?«

»Los, raus mit der Sprache!«

»Ihr seid mir ja schöne Früchtchen«, knurrten zwei unbe-
kannte Stimmen. »Ich will jetzt sofort wissen, wieso ihr
diesen Knochen geklaut habt! Wer hat euch geschickt?
Wer hat euch den Auftrag dazu gegeben?«

»Welchen Auftrag?«, hörte er eines der Olchi-Kinder.

»Wir haben keinen Auftrag. Wir wollen uns nur den schönen Knochen ein bisschen ausleihen!«

»Aber warum? Spuck es endlich aus, Kleiner!«

»Weil, weil … weil er vielleicht aus dem Museum ist!«,
sagte das Olchi-Kind.

Dann hörte Paddock eine Weile gar nichts mehr, bis
schließlich jemand sagte: »So, so, so, wal das wilklich nötig? Es sind doch nul Kindel!«

»Na und? Sie wissen zu viel!«

Eine Tür fiel ins Schloss, und danach wurde es still.
Was um Himmels willen war da geschehen? Mister Pad-
dock war sich sicher, dass die Olchi-Kinder in großer
Gefahr waren. Schlagartig war seine gute Laune wie
weggeblasen.
Nun musste er nicht nur die Knochen und den Olchi-
Drachen suchen, sondern auch noch die Olchi-Kinder!
Der Fall wurde immer komplizierter.
Leider konnte er die Position der Ratte Fido nicht orten.
Das wäre jetzt sehr praktisch gewesen.
»Brausewein muss mir das Ding unbedingt noch mal
überarbeiten«, brummte er. Wo sollte er jetzt nach den
Olchi-Kindern suchen? Sie waren in Richtung Westen
gegangen. Entschlossen schwang er seinen Regenschirm
und bog an der nächsten Ecke rechts ab.

Paddock in Gefahr

Mister Paddock lief, so schnell er mit seinem schmerzenden Knie konnte, denn er durfte keine Zeit verlieren.

»Nun habe ich den Salat«, murmelte er vor sich hin. »Die Olchi-Kinder mitzunehmen war ein großer Fehler!«

Er bog in eine Seitenstraße ein und lief kreuz und quer durch die verwinkelten Gassen in Richtung Westen. Noch immer hatte er den Empfänger auf den Hörhörnern, doch von Fido kam nun kein Signal mehr. Nur einmal glaubte er, ein Schnarchen gehört zu haben, doch vielleicht hatte er sich auch geirrt.

An einer Abzweigung überlegte er, ob er nach links oder nach rechts abbiegen sollte. Dann sah er durch seine Detektivbrille schräg hinter sich einen Mann aus einer Tür treten.

»Rotten rat!«, zischte Paddock. Diese dürre Gestalt erkannte er sofort. Nur einer hatte einen so breitbeinigen Gang und so feuerrote Strubbelhaare: Perry Pimple! Er kam aus einem Fitnesscenter und hatte es offenbar ziemlich eilig.

Wohin wollte er? Vielleicht zu Feuerstuhls Versteck? Oder gar zu Firebomb Jack? Paddock durfte ihn auf keinen Fall aus den Augen verlieren.

Dies war eine gute Gelegenheit, endlich Brauseweins Wunderschirm einzusetzen. Von oben aus der Luft konnte er Pimple sicher am besten verfolgen.

Paddock klappte den Propeller aus, klammerte sich mit beiden Händen an den Griff und drückte den Startknopf. Der Schirm riss ihn fast senkrecht nach oben. Paddock schrammte knapp an der Hauswand entlang und stieß sich sein gesundes Knie an der vorstehenden Dachrinne. Um ein Haar knallte er auch noch gegen eine Satellitenschüssel. Endlich gelang es ihm, mit den Tasten am Griff den Schirm in die gewünschte Richtung zu steuern. Zum Glück flog das Ding, von einem leisen Surren abgesehen, fast lautlos.

So folgte er Perry Pimple eine ganze Weile, bis er ihn plötzlich in einer Kneipe verschwinden sah.

Paddock überlegte, ebenfalls in die Kneipe zu gehen und Pimple einfach zur Rede zu stellen. Doch er landete auf dem Hausdach gegenüber und beschloss, lieber noch ein wenig abzuwarten.

Ein paar Minuten später kam Pimple auch schon wieder heraus. Diesmal in Begleitung zweier Männer, die schwarze Lederjacken trugen und aussahen wie Türsteher. Denen will man nachts nicht allein im Dunkeln begegnen, dachte Paddock. Irgendwo hatte er die beiden schon einmal gesehen …

Jetzt fiel es ihm wieder ein. Es waren die Typen, die er am Museum in die Flucht geschlagen hatte!

Er hob wieder ab und folgte ihnen unbemerkt bis zu
einem düsteren Hinterhof. Als er sich etwas näher heranwagte, erkannte er im Vorderhaus eine alte Apotheke.
Er landete hinter der Apotheke, faltete seinen Schirm
zusammen und schlich sich leise ans Hinterhaus heran,
in dem die drei Ganoven verschwunden waren.

Durch das erleuchtete Fenster im Erdgeschoss konnte er Pimple und die beiden Türsteher ganz genau erkennen. Sie waren im Gespräch mit einer breitschultrigen Gestalt, die in einem Sessel lümmelte und ihm den Rücken zugewandt hatte.

Schnell fummelte Paddock seinen Lauschator aus der Manteltasche und klebte ihn vorsichtig an die Fensterscheibe. Der Lauschator verstärkte die Geräusche im Inneren des Raumes, und so konnte er deutlich hören, was die Männer miteinander redeten.

Der Typ im Sessel schien der Anführer zu sein, denn immer wieder sagten die anderen zu ihm »Yes, boss!« und »No, boss!«.

»Ihr verdammten Idioten!«, hörte Paddock den Boss sagen. »Ihr wisst doch, dass Mister Hing Lang uns gut bezahlt!«

War der Boss etwa Firebomb Jack? Zu dumm, dass er sein Gesicht nicht erkennen konnte. Mister Paddock hielt den Atem an.

»Ich erkläre es euch noch einmal«, hörte er ihn sagen. »Die Dinoknochen sind für Mister Hing Lang! Er wohnt in China und ist ein Nachfahre des chinesischen Kaisers! Habt ihr das endlich kapiert?«

Die anderen nickten.

»Mister Lang ist ein hohes Tier! Geht das in eure dämlichen Köpfe?«

Sie nickten noch einmal.

»Mister Lang hält die Knochen für Glücksdrachen-
reliquien, o. k.? Er sammelt solche Sachen und bezahlt
uns einen schönen Batzen Geld dafür.«

»Das wissen wir doch schon, Boss«, hörte Paddock einen
der Türsteher sagen. »Mister Lang macht Markklößchensuppe aus den Knochen.«

»Ja, du Schlaumeier! Das hat er mit der Vorablieferung
versucht, die er letzten Monat bekommen hat«, brummte
der Boss. »Aber wie ich gehört habe, ist die Suppe nichts
geworden. Sie hat ihm nicht geschmeckt. Angeblich hat er
getobt vor Wut.«

»Wir haben all die anderen Knochen also ganz umsonst
geklaut?«, fragte Pimple ungläubig.

»Natürlich nicht, du Idiot! Er hat sie alle längst bezahlt!
Nur sollten wir ihm schleunigst neues Glücksmaterial
liefern. Irgendetwas Ähnliches, das ihn diesmal richtig
überzeugt. Ich erwarte eure Vorschläge!«

»Ich denke, wir haben bereits das Richtige für ihn«, meinte Perry Pimple. »Wir haben einen lebendigen Glücksdrachen!«

»Einen lebendigen Glücksdrachen?«, wiederholte der Boss.
»Ja, ich hab das Vieh im Museum gefunden und gleich
mitgenommen. Sah wertvoll aus. Bin sicher, Mister Lang
wird begeistert sein«, sagte Pimple.

»Lass hören, was ist das für ein Vieh?«, knurrte der Boss.
»Es hat sechs Beine. Und die Zahl Sechs ist in China eine
Glückszahl.«

»O. k., und was weiter?«

»Und FU heißt in China ›Glück‹. Dieser Drache heißt Feuerstuhl. F und U sind dabei wichtige Buchstaben.«

»Nicht schlecht«, meinte der Boss. »Sonst noch was?«

»Ja, das ist noch nicht alles. In der Neujahrsnacht muss man die Flecken am chinesischen Glückshund berühren, denn so was bringt Glück fürs ganze Jahr. Zumindest glauben das manche Chinesen. Und dieser Drache hat viele schöne Flecken, die man alle prima berühren kann und die bestimmt viel mehr Glückskraft haben als so ein Hund!«

»O. k., sehr gut!«, knurrte der Boss. »Und wo ist dieser Wunderdrache jetzt?«

»In einem sicheren Versteck. Aber ich kann dafür sorgen, dass er sofort auf ein Schiff gebracht wird, das nach China ausläuft. Dauert nur ein paar Minuten.«

Pimple zog sein Handy aus der Tasche, wählte eine Nummer und sagte kurz: »Bringt das Vieh aufs Schiff nach Schanghai. Wie? Ist mir egal, wie ihr das macht! Ihr habt eine Stunde Zeit!«

»Sehr gut!«, sagte der Boss. »Ich wusste, dass ich mich auf dich verlassen kann. Denke, für so einen Glücksdrachen können wir mindestens fünfzigtausend verlangen, was meinst du?«

»Fünfzigtausend mindestens«, bestätigte Pimple, und die Lederjacken nickten.

»Well, du bekommst deinen Anteil, sobald die Sache abgeschlossen ist«, erklärte der Boss. »Sobald Mister Lang das Geld überwiesen hat.«

»Vielen Dank, Jack«, sagte Perry Pimple.

Hatte er tatsächlich »Jack« gesagt? Jetzt gab es für Paddock keinen Zweifel mehr. Der Typ da im Sessel war Firebomb Jack.

Ich muss so schnell wie möglich die Polizei verständigen!, schoss es ihm durch den Kopf. Er fummelte den Lauschator wieder vom Fenster und drückte gleichzeitig den Startknopf seines Propellerschirms.

Doch in der Aufregung erwischte er den falschen Knopf. Es war der Knopf für die Niespulverfunktion. Mit lautem Zischen pustete ihm der Schirm eine Ladung Niespulver direkt auf die Knubbelnase. Paddock begann fürchterlich zu niesen.

»Hatschi! Haaatschi! Haaaaaatschi!«

»Was zum Teufel ist da draußen los?«, hörte er den Boss im Zimmer rufen. Ein paar Sekunden später waren die Lederjacken auch schon über ihm. Sie zerrten ihn am Mantelkragen hoch, und der Große brüllte ihn an:

»Was hast du hier zu suchen?«

»Hatschiii!«, antwortete Paddock.

Auch Perry Pimple stand jetzt vor ihm.

»Na, sieh mal einer an!«, knurrte er. »Der alte Paddock! Was suchst du denn hier? Du hast uns doch nicht etwa belauscht?«

»Hatschi!«, sagte Paddock noch einmal. »Wollte nur

111

schnell in die Apotheke ... hatschi! ... Habe nämlich chro-
nisches ... hatschi! ... Dauerniesen ... hatschiiiiiii!«
»Der Typ erzählt Geschichten«, bemerkte eine der Leder-
jacken ganz richtig.
»Das wird ihm schon noch vergehen!«, knurrte Perry
Pimple.
Sie packten den niesenden Paddock, zerrten ihn nach
nebenan zu dem Lagerschuppen und stießen ihn unsanft
hinein.
»Aber meine Herren ... hatschiii!«, rief der Detektiv.
»Ich bitte Sie! Müssen Sie denn so grob sein? Hatschiii!«
Dann hörte er hinter sich die Tür ins Schloss fallen.

»Pimple! Hatschiiii!«, rief er, so laut er konnte. »Du kannst mich doch nicht hier einsperren! Hatschi! Hatschiiii!«

Als sich Paddock endlich wieder unter Kontrolle hatte, versuchte er, sich zu orientieren. Das war nicht einfach, denn in dem fensterlosen Raum war es stockfinster. Normalerweise können Olchi-Augen auch in völliger Dunkelheit noch etwas erkennen, aber Paddock war nicht mehr der Jüngste und sein olchiges Sehvermögen nicht mehr das allerbeste.

Doch er war nicht umsonst ein Meisterdetektiv. Auch für solche Notfälle war er bestens ausgerüstet. Er holte ein hochempfindliches Nachtsichtgerät aus seiner Manteltasche und hielt es sich vor die olchigen Glupschaugen. Jetzt sah er alles ganz deutlich.

»Oh good heavens!«, stieß er aus. »Was macht ihr denn hier?«

Hinten in einer Ecke lagen die beiden Olchi-Kinder. Dass sie sich überhaupt nicht bewegten, war kein gutes Zeichen. Mister Paddock ging zu ihnen hinüber und beugte sich besorgt über sie.

Zum Glück atmeten sie noch.

Chinesisch essen

Fritzi Federspiel hatte sich gerade drei Tafeln Schokolade gekauft und einen schönen chinesischen Papierdrachen mit fünfzig Meter Schnur. Den wollte sie den Olchi-Kindern schenken, als kleinen Trost, falls sie ihren Feuerstuhl doch nicht mehr wiederfinden sollten. Aber vielleicht hatte Mister Paddock den Drachen ja inzwischen längst aufgespürt. Im Finden von Personen war er bekanntlich unschlagbar. Also warum nicht auch im Finden von Drachen?

Als Fritzi aus dem Geschäft trat, kam ihr Dumpy entgegengeschlurft.

Er machte einen ziemlich missmutigen Eindruck.

»Na?«, sagte Fritzi. »Gibt's was Neues?«

»Hab eine schöne fette Ratte gesehen«, meinte Dumpy, »aber keine Spur von Feuerstuhl. Die Sucherei geht mir langsam auf die Nerven. Ich hab schon Blasen an den Stinkerfüßen.«

»Dann sollten wir unbedingt eine kleine Stärkung zu uns nehmen, findest du nicht?« Fritzi hatte noch immer großen Appetit auf chinesisches Essen. Immer nur Schokolade futtern war nun auch nicht das Wahre.

»Chinesisch essen?« Dumpy rümpfte die olchige Knubbelnase. »Was essen die Chinesen denn so?«

»Frühlingsrollen und Currygerichte zum Beispiel«, meinte Fritzi.

»Filziger Schlammsack!«, rief Dumpy. » Ich bin ein Olchi!
Hast du das vergessen?«

»Na und? Du kannst mich ja trotzdem begleiten, oder
nicht?«

Fritzi ließ nicht locker, und am Ende war Dumpy einverstanden. Sie betraten ein kleines Lokal, über dessen Tür
»Hing Loon – Seafood« zu lesen war.

An einem Tisch am Fenster nahmen sie Platz, und Fritzi
begann sofort, die Speisekarte zu studieren. Dass Dumpy so sehr müffelte, war ihr jetzt sehr unangenehm, und
sie hoffte, der Kellner würde sie nicht gleich wieder aus
dem Lokal werfen. Zum Glück roch es in dem Restaurant
sowieso stark nach Fisch.

»Magst du nicht doch mal was ganz Normales probieren,
Dumpy?«

»Foul fart! Bist du verrückt?«, sagte Dumpy. »Willst du,
dass ich bunte Flecken kriege? Da ess ich doch lieber die
Speisekarte.«

Schnell zog ihm Fritzi die Speisekarte weg, und da kam
auch schon der Kellner. Fritzi bestellte sich grünen Tee
und ein Reisgericht mit gebratenem Fisch.

»Fisch ist krötig«, meinte Dumpy. »Da kann ich dann die
Gräten essen!«

Der Kellner musterte ihn misstrauisch. So schmuddelige
Gäste, die auch noch müffelten und dumme Späße machten, mochte er gar nicht.

»Mein Kollege macht nur Spaß«, sagte Fritzi schnell. »Er
möchte nichts essen. Er begleitet mich nur.« Sie klimper-
te mit den Augen und lächelte den Kellner freundlich an.

»O.k.«, sagte der Kellner.

»Haben Sie vielleicht ein paar alte Schuhsohlen, die Sie
nicht mehr brauchen?«, fragte Dumpy. »Oder ein bisschen alten Abfall?« Er schnüffelte an der Speisekarte.

»Oder muss ich an diesem trockenen Stück Pappe kau-
en?«

»Vely funny, Sil«, antwortete der Kellner kurz. Er nahm die Speisekarte schnell an sich und verschwand damit in der Küche.

Wenig später brachte er Fritzi einen völlig grätenfreien Fisch. Dumpy machte wieder ein langes Gesicht.

»Stinky pot! Hab ich doch gleich gewusst, dass es mir hier nicht gefällt!«

In seiner Not lutschte er ein wenig an den hölzernen Essstäbchen herum. Er testete auch die Papierservietten und die kleine rote Kerze, die auf dem Tisch stand, um dem Essen einen Hauch von Romantik zu verleihen.

»Oh Mann, muss das denn sein?« Fritzi schaute sich nach dem Kellner um und bereute längst, dass sie den Olchi hierher mitgeschleppt hatte.

»Schmeckt alles nur langweilig«, meinte Dumpy.

Doch dann entdeckte er das Glas mit der Chilisoße. Bei dieser höllisch scharfen Soße aus zerkleinerten roten Chilischoten bekam Fritzi schon Schweißausbrüche, wenn sie nur eine Messerspitze davon unter ihren Reis mischte. Doch der hungrige Olchi löffelte das ganze Glas leer, ohne mit der Wimper zu zucken. Geradeso, als wär es Himbeermarmelade.

Fritzi wunderte sich, dass er es überlebte.

Als sie endlich fertig waren und die Rechnung bezahlt hatten, meinte Dumpy:

»Cheesy flyshit, aber jetzt will ich zum Hafen! Dort findet man immer olchige Sachen, und ich brauch endlich was

Ordentliches zwischen die Zähne. Du kommst doch mit, oder?«

Fritzi überlegte kurz, ob es in Ordnung wäre, die Suche schon wieder zu unterbrechen. Doch dann war sie einverstanden.

»Na gut, kann ja nicht schaden. Wer weiß, vielleicht finden wir ja dort eine Spur vom Drachen Feuerstuhl? Machen wir einen Ausflug zum Hafen. Du suchst dir ein paar schöne Fischgräten, und ich schau mir die Schiffe an!«

Unten am Hafen war sie schon lange nicht mehr gewesen, und sie wollte Dumpy gern den Gefallen tun. Schließlich hatte er sie auch in das Chinalokal begleitet. Sie nahmen einen der hohen roten Doppeldeckerbusse, die Fritzi so gern mochte. Erleichtert stellte sie fest, dass nicht viele Leute im Bus waren, denn Dumpys Olchi-Geruch war wirklich keine Freude für die anderen Fahrgäste. Trotzdem setzten sie sich sicherheitshalber ganz hinten auf eine leere Bank. So fuhren sie hinunter zur Themse, ohne zu ahnen, dass sie damit genau das Richtige taten.

Ein olchiger Fußtritt

Im Lagerraum der Apotheke versuchte Mister Paddock
vergeblich, die Olchi-Kinder wach zu rütteln.
»Boggy sock!«, brummte er verwundert. »Ihr habt ja
wirklich einen sehr gesunden Schlaf!«
Durch das Nachtsichtgerät schaute er sich in dem fensterlosen Raum noch einmal genauer um. Ein paar alte
Bretter lehnten an der Wand, und von der Decke bau-
melte eine rostige Lampe ohne Glühbirne. Dort an der
Längsseite war die Tür. Paddock ging hinüber und rüttelte an der Klinke. Natürlich war sie verschlossen.
Entschlossen nahm er Anlauf und warf sich mit Schwung
dagegen.
»Autsch!« Er rieb sich die schmerzende Schulter und versuchte es kein zweites Mal.
»Noch vor zweihundert Jahren hätte ich das Ding mit
einer Hand aufgebrochen«, seufzte er. Er ging zurück zu
den Olchi-Kindern und setzte sich neben sie auf den staubigen Fußboden. Hier wollte er warten, bis sie endlich
wach wurden.
Um sich ein wenig die Zeit zu vertreiben, testete er noch
einmal den Qualmwerfer seines Regenschirms. Er funk-

tionierte nach wie vor ausgezeichnet, und die krötig duf-
tenden Stinkerwolken entspannten ihn etwas. Eine ganze
Weile saß er einfach so da, atmete tief ein und dachte
nach.

Auf jeden Fall wollte er für sich und Dumpy demnächst
ein Handy anschaffen. Das hätte er schon längst tun
sollen! Fritzi hatte ihn immer wieder dazu gedrängt.
Mit einem Handy hätte er jetzt seinen Gehilfen anrufen
können oder gleich die Polizei, und dann ...«

»Schleime-Schlamm-und-Käsefuß!« Der olchige Aufschrei riss ihn aus seinen Gedanken. Eines der Olchi-Kinder war aufgewacht.

»Wo bin ich?«, fragte das Olchi-Kind. »Mister Paddock! Was tun Sie denn hier?«

»Well, man hat uns gefangen genommen, würde ich sagen«, meinte Paddock. »Keine schöne Situation, denke ich. Aber sag, was ist mit euch geschehen? Wie kommt ihr hierher?«

»Muffelfurzteufel, keine Ahnung«, sagte das Olchi-Kind. »Kann mich nur an zwei Männer erinnern. Sie hatten so krötig duftende Lappen …«

»Duftende Lappen?«, rief der Detektiv. »Kombiniere, das war wieder Chloroform! Man hat euch also auch betäubt! Genau wie im Museum euren Drachen Feuerstuhl und den armen Dumpy. Das waren Perry Pimple und die beiden Halunken, die mich überfallen haben!«

»In der Apotheke haben wir verdächtige weiße Knochen gefunden«, sagte das Olchi-Kind. »Wir wollten dir einen mitbringen, aber man hat ihn uns wieder weggenommen.«

»Very interesting!«, sagte Paddock. »In der Apotheke also …?«

Endlich schlug auch das andere Olchi-Kind die Augen auf. Es gähnte und streckte sich und murmelte: »Uh! Hab ich heute gut geschlafen!«

»Gut, dass euch nichts Schlimmeres passiert ist«, meinte

Paddock. Er erzählte den beiden, was er inzwischen beobachtet hatte.

»Heute habe ich zum ersten Mal Firebomb Jack gesehen! Stellt euch vor, er saß keine zwei Meter vor mir in einem Sessel!«

»Ist er wirklich ein Chinese?«, fragte das eine Olchi-Kind.

»Ich denke nicht«, meinte Paddock. »Er hat ganz ohne Akzent gesprochen. Hab ihn aber leider nur von hinten gesehen.«

Er erzählte auch, dass der Drache Feuerstuhl angeblich zum Hafen an die Themse gebracht werden sollte. Dass man ihn nach China verschiffen wollte, als Glücksbringer für einen Mister Lang.

»Ach du grüne Schlamm-Assel!«, riefen die Olchi-Kinder entsetzt. »Wenn er erst mal in China ist, dann finden wir ihn nie wieder!«

»So weit darf es nicht kommen«, meinte Paddock. »Wir werden sofort zum Hafen gehen und nach ihm suchen. Nur ein Problem wäre da noch ...«

»Welches Problem denn?«, fragte das eine Olchi-Kind. Paddock seufzte. »Wir kommen hier nicht raus.«

»Aber wieso denn nicht?«, sagte das eine Olchi-Kind. »Da ist doch der Ausgang!« Die Olchi-Kinder sprangen auf und liefen hinüber zur Tür.

»Eins, zwei, Hühnerbrei!« Sie gaben der Tür einen kräftigen Fußtritt.

Krachend sprang sie auf, und der Weg war frei.

»Du bist wohl etwas schlapp in den Armen, Herr Paddock, wenn du das nicht selber kannst!«, riefen sie.
Paddock lächelte.
»Hatte schon wieder vergessen, wie ungewöhnlich kräftig ihr seid! Aber nun schnell weg hier, bevor die Gangster wiederkommen. Sie sind sicher bewaffnet, und ich habe keine Lust, dass meine schöne Melone ein Loch bekommt.«
»Sie hat doch schon ein Loch«, stellte eines der Olchi-Kinder fest.
»Ja, von einer kleinen Schießerei am Buckingham-Palast. Ist aber schon ein paar Jährchen her. Los, ihr beiden, haltet euch an mir fest!«
Er spannte seinen Propellerschirm auf, und die Olchi-Kinder klammerten sich an seinen karierten Mantel. Dann hoben sie ab.
»Alles klar bei euch?«, rief ihnen Mister Paddock zu, als sie über die Dächer schwebten.
»Alles klar! Fliegen sind wir gewohnt«, sagten die Olchi-Kinder. »Wir fliegen ja auch immer mit Feuerstuhl.«

Am Hafen

Mister Paddock flog so hoch wie möglich, denn er wollte nicht wieder an irgendwelche Dachrinnen oder Antennen stoßen. In gerader Linie steuerte er den Schirm hinüber Richtung Hafen.

Brauseweins Wunderschirm war viel langsamer als der Drache Feuerstuhl. Doch das war den Olchi-Kindern gerade recht, denn so konnten sie sich in aller Ruhe noch einmal die Stadt ansehen.

Sie sahen Bäume und Grünanlagen, ein Fußballfeld, Tennisplätze und eine Menge Autos. Und natürlich Häuser. Unzählige graue und weiße Häuser, die alle ordentlich in Reih und Glied angeordnet waren. Den Olchi-Kindern gefiel das gar nicht. Ordnung war für sie naturgemäß fast so schlimm wie Parfümgeruch.

Alle Leute, die die fliegenden Olchis bemerkten, blieben stehen und reckten erstaunt die Köpfe nach ihnen. Einige riefen ihnen irgendetwas zu, doch so hoch oben konnten die Olchis kein Wort davon verstehen.

Die Londoner waren ja einiges gewohnt, aber fliegende Olchis, die an einem Schirm hingen, waren dann doch ein sehr ungewöhnlicher Anblick.

»London ist eine schöne Stadt, nicht wahr?«, meinte Mister Paddock und steuerte seinen Schirm geradewegs hinunter zur Themse.

Der breite schlammbraune Fluss schlängelte sich wie eine riesige Schlange durch die Stadt. Sie überquerten ein paar Brücken, und die Olchi-Kinder staunten über die vielen kleinen und großen Schiffe, die auf dem Fluss herumschwammen. Bis zum Hafen war es noch ein ganzes Stück, aber Mister Paddock flog nun so tief, dass sie das olchige Flusswasser riechen konnten.

»Schlapper Schlammsack, damit könnte Olchi-Mama aber eine Menge Schmuddelbrühe kochen!«, meinte eines der Olchi-Kinder beeindruckt.

Sie schwebten knapp an langen Frachtschiffen und Schleppdampfern vorbei, und die Olchi-Kinder berührten mit ihren Fußspitzen beinahe einen kleinen Ausflugsdampfer. Ein paar Leute standen trotz der Kälte an Deck, kreischten und winkten ihnen zu. Ein paar Kinder, die die Olchis erkannt hatten, waren ganz aus dem Häuschen.

Endlich tauchte das erste Hafenbecken vor ihnen auf, und dort wartete eine Überraschung auf sie.

»Na so was!«, rief Mister Paddock. »Da unten sitzen Dumpy und Fritzi!«

Tatsächlich. Die beiden saßen da am Ufer, Fritzi futterte Schokolade, und Dumpy buddelte im Schlamm herum.

Mister Paddock landete direkt neben ihnen, klappte seinen Schirm zu und fragte: »Was treibt ihr denn hier? Wieso seid ihr nicht mehr in Chinatown?«

»Musste dringend eine Kleinigkeit essen«, meinte Dumpy. »Hatte Lust auf Hafenfutter!« Ein Stück Gräte hing ihm aus dem Mundwinkel, und in der Hand hatte er einen löcherigen Plastikkübel voll mit feinstem Themse-Schlamm.

»Feuerstuhl haben wir leider nicht gefunden«, sagte Fritzi. »Hattet ihr denn mehr Erfolg?«

Mister Paddock lächelte überlegen.

»Yes, indeed!«, sagte er. »Wir wissen inzwischen, dass der Drache hier im Hafen ist.«

In kurzen Sätzen erklärte er den Stand der Dinge.

»Aber wie sollen wir ihn hier finden?« Fritzi zeigte auf die weitläufige Hafenanlage. »Hier ist doch so viel Betrieb!«

Haushohe Lastkräne hatten mächtige Container am Haken, und schwere Lastwagen standen Schlange, um ihre Ladung loszuwerden. Trotz der Kälte kurvten fleißige Hafenarbeiter geschäftig mit ihren Gabelstaplern umher, und die Dockarbeiter schrien ihre Kommandos, ruderten mit den Armen und dirigierten schwere Container an die richtige Stelle.

»Ist doch ganz einfach«, meinte Paddock. »Wir wissen, dass der Drache auf ein Schiff gebracht werden sollte, das morgen nach China auslaufen wird.«

Vor ihnen lagen vier riesige Frachtschiffe. Und die Container darauf waren haushoch übereinandergestapelt.

Fritzi seufzte. »Du liebe Güte, wie soll das funktionieren? Wir gehen also einfach aufs Schiff, machen alle Container auf und sehen nach?«

Doch Paddock schien sehr entschlossen.

»Smelly sock! Wer nichts wagt, der nichts gewinnt!«

»Schleime-Schlamm-und-Käserich! Feuerstuhl, wir finden dich!«, riefen die Olchi-Kinder.

»Worauf warten wir noch?«, sagte Dumpy.

Zuversichtlich stapften alle Olchis los. Nur Fritzi zögerte noch.

»Als wenn das so einfach wäre …!«, sagte sie kopfschüttelnd. Sie fischte noch ein Stück Schokolade aus ihrer Manteltasche, stopfte es sich in den Mund und lief hinter den anderen her.

Gelber Qualm

Das Schiff nach China zu finden war tatsächlich ganz
einfach. Fritzi fragte einen der Dockarbeiter, und der
deutete auf ein langes Frachtschiff, das hier vor Anker
lag.

»Dieses Schiff fährt morgen nach Schanghai!«, sagte der
Mann.

»Well, der Kahn ist mindestens zweihundert Meter lang«,
schätzte Mister Paddock.

So ganz aus der Nähe wirkte das Frachtschiff wirklich
unglaublich groß.

»Und irgendwo da drin soll jetzt Feuerstuhl sein?« Ungläubig deutete Fritzi auf die haushohe Wand aus Contai-
nern. »Den finden wir doch nie im Leben!«

Auch den anderen war klar, dass sie die vielen tonnen-
schweren Eisenbehälter unmöglich alle öffnen konnten.

»Schleimige Wanz-Assel«, brummte das eine Olchi-Kind.

»Fettiger Rattenfurz«, sagte das andere Olchi-Kind.

»Boggy devil«, fluchte Dumpy.

Und Paddock murmelte: »Brauche dringend ein Gerät,
mit dem man in Container sehen kann. Muss unbedingt
Brausewein danach fragen.«

»Tolle Idee«, meinte Fritzi. »Nur leider nützt uns das jetzt gar nichts.«

Sie liefen eine ganze Weile ratlos am Kai hin und her und betrachteten nachdenklich das monströse Frachtschiff.

»Unser Feuerstühlchen vermisst uns sicher ganz schrecklich«, sagte das eine Olchi-Kind traurig. »Jetzt sind wir ihm so nah und können ihm trotzdem nicht helfen.«

»Vielleicht ist es ja gar nicht so schrecklich für ihn«, überlegte das andere Olchi-Kind. »Vielleicht denkt er,

dass er zu Hause in seiner Garage liegt. Die hat ja un-
gefähr die gleiche Größe wie diese Container.«
Natürlich war das nur ein schwacher Trost. Doch plötzlich rief Dumpy: »Da oben raucht es!«
»Wo denn?«, fragte Paddock, und sein Gehilfe deutete auf
die oberste Containerreihe. Aus einem blauen Container,
der da ganz links an der Ecke stand, sah man einen dün-
nen Rauchfaden aufsteigen.
»Vielleicht eine Zigarre?«, überlegte Fritzi. »Einer der
Arbeiter qualmt da oben.«
Doch die Olchi-Kinder wussten es besser.
»Muffelfurzteufel, aber das ist gelber Qualm! Das könnten Feuerstuhls Stinkerwolken sein! Beim Kröterich, er
gibt uns Rauchzeichen!«
»Well, dann lasst uns nachsehen!«, sagte Mister Paddock
und entriegelte noch einmal den Propeller seines Wun-
derschirms. »Wer kommt mit mir?«
»Wir kommen mit!«, riefen die Olchi-Kinder und hängten
sich, wie schon zuvor, an Paddocks Mantel.
Fritzi und Dumpy sahen gespannt zu, wie sie abhoben
und zu dem verdächtigen Container hinaufschwebten.
»Aber wenn euch jemand sieht …!«, rief Fritzi und schaute sich nach den Dockarbeitern um. Doch zum Glück
hatte noch niemand Notiz von ihnen genommen. Es
dauerte auch nur ein paar Sekunden, dann waren die
drei Olchis oben. Paddock klappte seinen Schirm zu und
klopfte damit auf das Dach des Containers.

»Ziemlich harter Stahl«, stellte er fest.

Die Olchi-Kinder legten sich flach auf den Boden, spitzten die empfindlichen Hörhörner und lauschten.

»Da drinnen schnauft etwas!«, sagte das eine Olchi-Kind. »Am besten fressen wir ein Loch hinein und sehen nach.«

»Das dauert zu lange«, meinte Paddock. »Um den Drachen da rauszukriegen, müsste es schon ein sehr großes Loch sein.«

Der Container stand ganz am Rand. Bereits vom Kai aus hatte Paddock gesehen, dass an seiner Schmalseite die Öffnungsklappe war. Und an der Klappe hing ein großes Vorhängeschloss. Deshalb schlug er vor:

»Well, ich denke, es ist besser, wir knacken das Schloss an der Klappe. Doch da ranzukommen ist gar nicht so einfach. An dieser glatten Metallwand kann man sich nirgendwo festhalten.«

»Kein Problem«, meinten die Olchi-Kinder. »Du hältst uns fest, und wir lassen uns da runter!«

»Slimy bones«, brummte Paddock. »Bin ich nicht schon zu alt für solche Turnübungen?«

Sie legten sich alle drei auf den Boden, und Paddock packte das eine Olchi-Kind an den Füßen, das das andere Olchi-Kind auch an den Füßen festhielt, und so konnte Mister Paddock die beiden langsam hinunterlassen, bis das erste Olchi-Kind das Vorhängeschloss erreicht hatte.

»Mach es auf!«, rief Paddock ihm zu.

Das Schloss aufzubeißen war für das Olchi-Kind kein

Problem. Ein kurzes Knacken, dann war es geschafft. Es zog einen Metallbolzen aus seiner Verankerung, und schon ging die Klappe auf.

»Feuerstuhl!«, jubelte das Olchi-Kind. »Schleime-Schlamm-und-Käsefuß! Haben wir dich endlich gefunden!«

Der Drache streckte seinen dicken Kopf aus dem Gefängnis und blinzelte. Anscheinend brauchte er eine Weile, bis er sich an das helle Tageslicht gewöhnt hatte. Als er das Olchi-Kind kopfüber vor sich hängen sah, gab er ein verwundertes Grunzen von sich.

Er kam ein ganzes Stück weiter aus dem Container heraus, sodass Mister Paddock die beiden Olchi-Kinder loslassen konnte.

»Careful!«, rief er, bevor sie auf Feuerstuhls Rücken plumpsten. Der Drache flatterte mit den Flügeln, und sein rostiger Auspuff begann zu qualmen und zu knattern, dass es eine Freude war.

Auch Paddock konnte jetzt aufsteigen, und die Olchi-Kinder dirigierten Feuerstuhl hinunter zum Kai.

»Wahnsinn!«, rief Fritzi. »Ihr habt es tatsächlich geschafft!«

»Not bad«, meinte auch Dumpy. Diesmal ohne zu zögern, sprang er mit einem einzigen Satz auf Feuerstuhls Rücken. Mister Paddock beugte sich hinunter, reichte Fritzi die Hand und half ihr hinauf, wie ein echter Gentleman. Gerade noch rechtzeitig hob der Drache ab, denn inzwischen waren zwei Hafenarbeiter auf sie aufmerksam geworden, rannten auf sie zu und schrien:

»Das kann ja wohl nicht wahr sein!«

»Hey! Was soll das?«

Sie machten den Eindruck, als würden sie die Olchis nur allzu gern vermöbeln, jedenfalls schwang der eine von ihnen drohend einen schweren Hammer.

Doch alles ging gut.

Als Feuerstuhl über sie hinwegdonnerte, duckten sich die beiden. Dem einen wehte es die Kappe vom Kopf, dem anderen fiel vor Schreck der Hammer aus der Hand. Sie rangen nach Luft und begannen zu husten, als hätten sie ihre Köpfe in einen verqualmten Kachelofen gesteckt. Ja, sie konnten einem leidtun. Feuerstuhls schwefelige Stinkerwolken waren nun wirklich überhaupt kein Vergnügen.

Die Rattenjagd beginnt

Die Olchis steuerten den Drachen geradewegs zurück
zum Naturkundemuseum.
Für Fritzi war der Flug nicht sehr angenehm, denn inzwischen hatte ein eisiger Schneeregen eingesetzt, und
der beißende Fahrtwind ging ihr durch Mark und Bein.
Den Olchis machte das unfreundliche Wetter dagegen
gar nichts aus, denn sie hatten ja ihre unempfindliche
Tintenfischhaut.
Sicherheitshalber parkten sie Feuerstuhl diesmal auf
dem Dach des Museums. Hier oben war er fürs Erste gut
aufgehoben.
Fritzi fischte mit klammen Fingern ihr Handy aus der
Tasche und rief Mister Mortimer zu Hilfe. Zum Glück
kam er sofort. Er öffnete ihnen ein Dachfenster und ließ
sie in das Gebäude.
»Ungewöhnlich, dass Besucher zu uns aus der Luft kommen«, sagte er schmunzelnd. Aber auch er fand, dass es
das Beste war, Feuerstuhl hier oben auf dem Dach zu
lassen. Sie gingen hinunter in das Verwaltungsbüro, wo
Mister Mortimer ihnen schwarzen Tee mit Milch anbot.
»Lousy weather!«, meinte Mister Mortimer. »Ich wette,

es bleibt jetzt die ganze Woche so. Nun wärmt euch erst mal auf.«

Fritzi kam der heiße Tee gerade recht. Aber die Olchis lehnten dankend ab, denn Mister Mortimer hatte leider keine Gräten zur Hand.

»Well, ich habe den Fall so gut wie gelöst«, meinte Paddock.

»Tatsächlich? Nun, das höre ich gern!«, sagte Mister Mortimer erfreut. »Wusste doch, dass man sich auf Sie verlassen kann!«

Der Detektiv erzählte dem staunenden Museumsdirektor, was sie inzwischen alles erlebt hatten.

»Bedauerlicherweise sind einige Ihrer Allosaurus-Knochen inzwischen wohl leider in China gelandet«, sagte er. »Dieser Mister Lang hat angeblich versucht, daraus Suppe zu kochen. Wahrscheinlich soll das Glück bringen.«

»Alle Drachen sind für die Chinesen Glücksbringer«, erklärten die Olchi-Kinder. »Und darum hat man auch unseren Feuerstuhl entführt. Er ist nämlich ein echter Glücksdrache!«

Mister Mortimer fragte verwundert: »Und aus Feuerstuhl wollte Mister Lang auch Suppe kochen?«

»Hoffentlich nicht«, meinte Paddock. »Er war aber wohl eher als wertvolles Glückssymbol gedacht. Sicher hätte er ihn in seinem Garten als Haustier gehalten.«

»Das tun wir doch in Schmuddelfing auch!«, riefen die Olchi-Kinder.

»Well, der Olchi-Drache wäre jedenfalls ein perfektes Geschenk für Mister Lang gewesen«, sagte Paddock. »Er vereint so viele Symbole des Glücks: Zum Beispiel hat er in seinem Namen die Buchstaben F und U. FU bedeutet auf Chinesisch Glück! Außerdem hat er sechs Beine. Und Flecken, die man reiben kann. Das alles bringt Glück.«

»Oh good heavens!«, staunte Mister Mortimer. »Jetzt verstehe ich. Aber meine schönen Allosaurus-Knochen werde ich nun wohl nicht mehr zurückbekommen, nehme ich an? Was für ein Schaden! Was für ein Verlust!«

»Sieht so aus«, bestätigte Paddock. »Doch ein paar von ihnen liegen zum Glück noch in dieser Apotheke herum. Die Olchi-Kinder haben sie dort in einer Kiste entdeckt.«

»Das klingt schon besser«, meinte Mister Mortimer erleichtert. »Dann wollen wir uns gleich darum kümmern, sie zurückzuholen. Machen wir Nägel mit Köpfen. Aber ich denke, dazu braucht es ein wenig Verstärkung.«

Er ging zu seinem Schreibtisch und wählte die Nummer des nächsten Polizeireviers.

Zwei Polizeifahrzeuge mit vier Polizisten trafen fast gleichzeitig vor dem Haupteingang des Museums ein. Einer der Beamten stellte sich als Constable Haslewood vor, ein zweiter hieß Sergeant Miller. Mister Paddock erklärte ihnen, worum es ging und dass er heute den Gangsterboss Firebomb Jack gesehen hatte.

»Zwar nur von hinten, aber doch mit eigenen Augen«,
sagte er. »Heute werden Sie ihn endlich festnehmen
können. Er hält sich in einem Schuppen hinter der alten
China-Apotheke auf, und Perry Pimple ist auch dabei.
Dass er die Knochen aus dem Museum gestohlen hat, ist
so klar wie Markklößchensuppe ... äh, wie Stinkerbrühe,
meine ich natürlich. Zum Beweis haben wir seine Fingerabdrücke!«
Er erklärte, wo die Apotheke zu finden war, und Sergeant
Miller, der sich in Chinatown gut auskannte, wusste sofort, welche Apotheke gemeint war.

»Sie wollen also Firebomb Jack gesehen haben?«, fragte er. »Können Sie ihn uns näher beschreiben, Sir?«

»Nein, leider nicht«, musste Paddock zugeben. »Aber ich hab das Gespräch mit angehört, und ich bin sicher, dass er es war.«

»Hoffen wir es, Sir. Wissen Sie, dass auf seine Ergreifung eine Belohnung ausgesetzt ist?«

»Smelly fishbone!«, rief Paddock erfreut. »Wie viel ist es denn?«

»Ich denke, es sind zehntausend Pfund.«

»Zehntausend Pfund?« Paddock musste schlucken. Das war mehr, als er erwartet hatte.

»Well, das ist noch nicht alles«, fügte Mister Mortimer schnell hinzu. »Von mir bekommen Sie noch die tausend Pfund, um die wir gewettet haben. Aber erst müssen wir meine Knochen finden und die Täter festnehmen!«

Die Olchi-Kinder schauten Paddock verständnislos an.

»Wieso kriegst du so viele Pfunde? Sind das Pfunde Müll?«

»Nein, leider nicht«, erklärte ihnen der Detektiv. »Pfund nennt man hier bei uns das Geld.«

»Grätige Qualmsocke, aber wozu brauchst du denn Geld?«, wunderten sich die Olchi-Kinder. »Du bist doch ein Olchi! Was Olchis brauchen, gibt es doch immer umsonst.«

»Well, that's right«, meinte Paddock. »Aber Professor Brausewein ist nicht gerade billig, und seine Erfindungen

kosten mich immer eine Stange Geld. Sein neuer Schirm
zum Beispiel ist auch noch nicht bezahlt.«
Fritzi sagte: »Mir gibt Mister Paddock auch immer ein
paar Pfund. Schließlich arbeite ich für ihn. Und ich muss
mir doch meine Schokolade leisten können, oder?«
»Klingt ganz schön kompliziert«, meinten die Olchi-
Kinder.
»Lassen Sie uns gehen!«, drängelte Sergeant Miller.
Mister Mortimer, Mister Paddock und Dumpy durften
ins Auto von Constable Haslewood steigen, Fritzi und
die beiden Olchi-Kinder nahmen im Wagen von Sergeant
Miller Platz.
Die Polizisten schalteten das Blaulicht ein und gaben
kräftig Gas. Sie fuhren sogar bei Rot über die Ampeln
und rasten durch die Stadt, viel schneller, als die Polizei
erlaubt.
Besonders Fritzi wurde nun doch ein bisschen nervös,
denn so eine Verbrecherjagd gab es schließlich nicht alle

Tage. Auch wenn die Polizisten dabei waren, so blieben Firebomb Jack und seine Komplizen doch nach wie vor äußerst gefährlich.

Hoffentlich geht alles gut, dachte sie, hoffentlich gibt es keine Schießerei.

Die beiden Olchi-Kinder wirkten sehr entspannt. Sie lümmelten gemütlich auf dem Rücksitz des Polizeiautos und sangen fröhlich vor sich hin:

>»Muffelwind und Krötenschleim,
heut fangen wir Ganoven ein!
Wir werden sie wie Ratten jagen,
wir zerren sie am Mantelkragen
aus ihrem dunklen Kellerloch,
Mister Paddock lebe hoch!«

Ja, die Olchi-Kinder waren blendender Laune, was wahrscheinlich daran lag, dass sie ihren Drachen Feuerstuhl endlich wiederhatten.

Sergeant Miller am Steuer machte einen angespannten Eindruck.

»Wann habt ihr denn bloß das letzte Mal geduscht?«, fragte er die beiden Olchi- Kinder. Er verzog das Gesicht.

»Wir duschen nie«, erklärte ihm das eine Olchi-Kind.

»Nur manchmal kommen wir in den Regen«, sagte das andere Olchi-Kind.

Millers Kollege drehte wortlos die Heizung hoch und

öffnete das Seitenfenster. Die hereinströmende eiskalte Luft machte die Sache allerdings nicht viel besser.

»Ihr riecht wie ein verdammtes Katzenklo!«, brummte er. Die Olchi-Kinder freuten sich über das Kompliment und fanden es sehr krötig.

Hinter ihnen, im Wagen von Constable Haslewood, lief es nicht viel anders.

Auch Dumpy und Mister Paddock verströmten ein sehr gewöhnungsbedürftiges Lüftchen, und die beiden Polizisten auf den Vordersitzen trauten sich kaum, zu atmen. Sogar Mister Mortimer hielt öfter mal kurz die Luft an. Paddocks Geruch kannte er schon, aber sein Gehilfe müffelte fast noch schlimmer. Und hier in dem engen Wagen war das ausgesprochen unangenehm.

Mister Mortimer war sich nicht sicher, ob die Polizisten so rasten, weil sie Firebomb Jack fangen wollten, oder um möglichst schnell diesen olchigen Gestank loszu-werden.

King Lu greift zur Waffe

Als sie in Chinatown angekommen waren, schalteten
die Polizisten das Blaulicht aus. Sie parkten ihre Autos
vor der Gasse, die zur Apotheke führte, und alle stiegen
aus. Die Olchi-Kinder sahen, wie die Polizisten Pistolen
aus dem Handschuhfach holten. Normalerweise sind
Londoner Polizisten nicht bewaffnet, aber dies war ein
Sondereinsatz. Wenn man die Ratten von London festnehmen wollte, dann musste man mit allem rechnen.
»Fliegenschiss im Böllerofen! Jetzt holen wir uns die
Ganoven!«, riefen die Olchi-Kinder.
»Ruhe!«, zischte Constable Haslewood. »Wollt ihr hier
einen Jahrmarkt veranstalten? Entweder seid ihr jetzt
alle mucksmäuschenstill, oder ihr bleibt hier im Auto!
Verstanden?«
»Da drüben!«, flüsterte Paddock den Polizisten zu. »Sie
sind im Hinterhaus!«
»Los, Männer, dann wollen wir uns das mal ansehen«,
sagte Sergeant Miller zu seinen Kollegen. »Ihr anderen
wartet hier! Und geht nicht zu nah ran, denn es kann
gefährlich werden!«
Die Polizisten zogen los.

»Ojeojeoje!«, flüsterte Fritzi nervös. Ihre Hand kramte in der Manteltasche nach Schokolade, doch leider war keine mehr da.

Mister Mortimer deutete auf die Apotheke.

»Und ich will jetzt mal nach meinen Knochen sehen! Wer begleitet mich?«

»Also, ich weiß nicht recht«, murmelte Dumpy. »Ich bleib lieber hier und warte, so wie es der Sergeant angeordnet hat!«

»Hast du etwa die Hosen voll, Dumpy?«, fragte Paddock verwundert.

»Smelly feet«, brummte sein Gehilfe. »Einer muss doch schließlich auch die Straße bewachen, oder? Was, wenn die Bande entkommt?«

»Na gut, einverstanden«, sagte Paddock. Er schwang entschlossen seinen Regenschirm und betrat zusammen mit Mister Mortimer die Apotheke.

Die Olchi-Kinder liefen hinter ihm her, und etwas zögerlich folgte auch Fritzi.

Der alte Chinese stand hinter seiner Theke und mischte gerade irgendwelche Pülverchen. Als er die beiden Olchi-Kinder erblickte, zog er verwundert die Augenbrauen hoch und verschüttete etwas von seinem Pulver.

»Good aftelnoon!«, sagte er, und man sah seine Mundwinkel nervös zucken. »Wie kann ich helfen?«

Die Olchi-Kinder zeigten auf einen leeren Karton, der neben der Eingangstür stand.

»Da drin waren die Knochen!«, riefen sie. »Aber jetzt sind
sie nicht mehr da!«

»Seid ihr sicher?«, fragte Mister Mortimer.

»Natürlich sind wir sicher!«, riefen die Olchi-Kinder. »Wir
haben doch keinen Matsch auf den Augen!«

»Wo haben Sie die Knochen hingebracht?«, knurrte Mister Paddock den Apotheker an.

»Welche Knochen meinen Sie?«, fragte King Lu un-
schuldig. »Habe hiel viele Knochen. Hundeknochen,
Katzenknochen, Mäuseknochen, Alligatolknochen …
Besondels Knochen von Alligatol sind sehl gut gegen
Nelvosität …!«

»Am besten essen Sie gleich selber mal ein paar davon!«,
rief Mister Paddock. »Man sieht doch, wie nervös Sie
sind! Wir lassen uns doch nicht für dumm verkaufen!«

»Nun mal schön langsam und der Reihe nach«, versuchte es Mister Mortimer etwas höflicher. Er blickte den
Apotheker durchdringend an. »Es handelt sich hier um
Diebesgut, Sir. Um gestohlene Dinosaurierknochen. Man
hat sie hier bei Ihnen in dieser Kiste entdeckt. Würden
Sie die Freundlichkeit haben, uns zu sagen, wo sie jetzt
sind?«

»So, so, so …« King Lu nahm die Brille ab und rieb sie
an seinem Kittel sauber. »Ich weiß nicht, was Sie von
mil wollen. Bitte gehen Sie und lassen sie mich in Luhe
albeiten!«

»Wieso tust du so unschuldig?«, rief das eine Olchi-Kind.

»Man hat uns vor deiner Tür betäubt und gefangen genommen!«

»So, so, so, davon weiß ich nichts«, sagte King Lu.

»Muffelfurzteufel!«, rief das andere Olchi-Kind. »Und von Firebomb Jack weißt du wohl auch nichts? Den hat Mister Paddock bei dir im Hinterhaus gesehen!«

»Sei still!«, zischte der Detektiv. Doch da war es schon geschehen.

Die Miene des Apothekers hatte sich schlagartig verfinstert. Er griff wortlos zum Telefon und wählte eine Nummer.

»Achtung! Er will seine Komplizen warnen!«, rief Fritzi.

»Das lassen Sie mal schön bleiben!«, knurrte Paddock und machte einen Schritt auf den Apotheker zu, um ihm das Telefon aus der Hand zu nehmen.

King Lu ließ den Hörer sinken.

Mit einer schnellen Bewegung zog er eine Pistole aus der Schublade.

»Hände hoch!«, kreischte er und richtete die Waffe drohend auf Mister Paddock. Der hob erschrocken die Hände.

»Ich empfehle dlingend, meinen Laden sofolt zu vellassen!« King Lu kreischte noch ein bisschen lauter und fuchtelte nervös mit seiner Pistole herum.

»Nein! Bitte nicht schießen!«, rief Fritzi. Sie machte einen Schritt zur Seite, stolperte gegen eine Glasvitrine, und ein paar Flaschen fielen klirrend um.

Die beiden Olchi-Kinder brachten sich hinter einem
dicken Sack brauner Bohnen in Sicherheit und zogen die
Köpfe ein.

Nur Mister Mortimer blieb gelassen. Er deutete auf King
Lus Waffe und sagte: »Tun Sie dieses Ding weg! Oder
wollen Sie uns etwa alle erschießen?«

King Lu hörte nicht auf ihn und kreischte immer lauter.
»Vellassen Sie alle sofolt meinen Laden, odel ich hole die
Polizei!«

»Nicht nötig«, knurrte Paddock. »Die ist längst hier!«

Er hatte immer noch die Hände gehoben, die Spitze seines Regenschirms genau auf den Apotheker gerichtet. Als er den Qualmwerfer aktivierte, zischte es, als wäre ein Dampftopf explodiert. Im Nu war King Lu vollkommen eingenebelt.

»Ich elsticke …!«, keuchte er und begann zu husten. Paddock nutzte die Gelegenheit, stürzte sich auf ihn und schlug ihm die Pistole aus der Hand.

Auch Mister Mortimer hustete, und Fritzi presste sich ein Taschentuch vors Gesicht. Als Paddock sich nach der Pistole bückte, flüchtete der Apotheker schnell wie ein Wiesel zum Hinterausgang.

Im gleichen Augenblick sah Paddock draußen vor dem Fenster eine dunkle Gestalt vorbeihuschen.

»Firebomb Jack!«, stieß er aus. »Dirty devil, er entkommt mir nicht!«

Er lief zur Tür, in der einen Hand King Lus Pistole, in der anderen seinen Schirm, der immer noch ganz ordentlich qualmte.

Von draußen hörte man plötzlich lautes Geschrei. Auch die anderen liefen zur Tür, um zu sehen, was da vor sich ging.

»Slimy sock! Das war nicht Firebomb Jack, das war Perry Pimple!« Paddock schaltete seinen Qualmwerfer aus. Den brauchte er jetzt nicht mehr.

Vor ihm lagen Dumpy und Perry Pimple auf dem Boden. Dumpy hielt den strampelnden Pimple mit eisernem

Griff im Schwitzkasten. Vergeblich versuchte der Halunke, sich loszumachen. Jetzt kam auch noch Sergeant Miller angelaufen.

»Hände hoch!«, rief er und stellte sich breitbeinig vor die beiden, die Dienstwaffe auf Pimple gerichtet. Als Dumpy ihn losließ, fluchte Pimple laut vor sich hin und rieb sich den Kopf. Sergeant Miller packte ihn am Kragen, zog ihn hoch und legte ihm Handschellen an.

»Dich suchen wir schon lange, Freundchen!«, knurrte er.

»Bloody hell!«, stieß Pimple aus.

»Sehr gut, mein lieber Dumpy!«, lobte Mister Paddock seinen Gehilfen. »Du hast ihn überwältigt!«

»Äh, nun, na ja …«, sagte Dumpy. »Ich wollte nur mein Schuhband zubinden, da kam der Typ angerast wie ein Wilder und ist über mich gestolpert.« Er zog sich die heruntergerutschte Mütze wieder über die Hörhörner und stand auf.

»Glück gehabt!«, meinte Sergeant Miller. »Aber ich hätte ihn sicher auch so gekriegt. Danke, dass Sie ihn aufgehalten haben.«

»Bullshit!«, knurrte Pimple und zerrte an seinen Handschellen.

Der Olchi-Detektiv wandte sich an Sergeant Miller.

»Aber wo zum Teufel steckt Firebomb Jack? Wieso haben Sie den Kerl nicht festgenommen?«

»Wir haben das ganze Hinterhaus durchsucht. Außer Pimple war kein Mensch zu sehen. Er ist uns anscheinend wieder mal entwischt.«

»Sehr unerfreulich«, brummte Paddock enttäuscht. »Es ist immer das Gleiche. Die Kleinen fängt man, und die Großen lässt man laufen.« Er warf Perry Pimple einen scharfen Blick zu.

»Raus mit der Sprache! Wo ist Firebomb Jack? Er war doch vorhin noch bei dir! Ich hab euch zusammen gesehen!«

150

Über Perry Pimples Gesicht huschte ein müdes Lächeln.

»Wer? Firejack? Nie gehört. Kenn ich nicht.«

»Das dachte ich mir«, knurrte Paddock.

Da kam auch Constable Haslewood um die Ecke. Er zog King Lu an seinem weißen Apothekerkittel neben sich her, und in der anderen Hand hielt er einen großen grauen Müllsack.

Auch King Lu bekam von Sergeant Miller Handschellen verpasst, und Paddock knurrte ihn an: »Und Sie? Sie haben sicher auch noch nie etwas von Firebomb Jack gehört, nehme ich an? Ihre Apotheke scheint mir ja so eine Art Rattenloch zu sein!«

King Lu schüttelte wie erwartet den Kopf.

»Ich sage gal nichts. Ich spleche nul übel meinen Anwalt!«

Constable Haslewood überreichte Mister Mortimer feierlich den Müllsack.

»Das habe ich im Hinterhaus gefunden, Sir. Ich denke, es könnte Sie interessieren.«

Der Museumsdirektor warf einen kurzen Blick in die Tüte, griff hinein und zog einen krummen Knochen heraus.

»Mein Allosaurus! Wonderful! Ich denke, mein lieber Mister Paddock hat unsere kleine Wette gewonnen!«

Mit einer lässigen Handbewegung lüpfte Paddock seine Melone.

»Es war mir ein Vergnügen, Sir!«

Dann wandte er sich an die beiden Olchi-Kinder.
»Aber ohne euch hätte ich die Knochen sicher nicht so
schnell entdeckt. Eigentlich habt ihr auch eine Beloh-
nung verdient!«
»Das finde ich auch«, sagte Mister Mortimer zu den
Olchi-Kindern. »Ihr dürft euch etwas von mir wünschen.
Was hättet ihr denn gern?«
Da mussten die Olchi-Kinder nicht lange nachdenken.
»Fahrradöl!«, riefen sie wie aus einem Mund. »Wir wol-
len fünf Flaschen feinstes englisches Fahrradöl! Eine für
Olchi-Mama, eine für Olchi-Papa, eine für Olchi-Opa,
eine für Olchi-Oma und eine für Olchi-Baby! Dann haben
wir ein schönes Mitbringsel!«

Goodbye, auf Wiedersehen!

King Lu wurden noch einmal kurz die Handschellen abgenommen. Er durfte seine Apotheke absperren und ein Schild an die Tür hängen, auf dem »Vorübergehend geschlossen« stand. Dann wurden er und Perry Pimple in den Polizeiautos verstaut und aufs Polizeirevier gebracht.

»Ich denke, der Apotheker wird mit einer Geldstrafe davonkommen«, überlegte Paddock. »Aber auf Pimple warten sicher ein paar Monate Knast. Außer dem Museumsdiebstahl hat er bestimmt noch jede Menge anderen Dreck am Stecken!«

Mister Mortimer winkte ein Taxi heran. Er wollte seine Knochen so schnell wie möglich ins Museum bringen, und die anderen wollten zurück ins Detektivbüro.

Paddock zog eine verkratzte Taschenuhr aus seiner Manteltasche.

»Höchste Zeit. Wir wollen doch unseren Fünfuhrtee nicht verpassen!«

Die Olchi-Kinder sahen ihn fragend an, und Fritzi erklärte ihnen: »Pünktlich um fünf trinken Mister Paddock und Dumpy immer ihren Gräten-Tee. Hier in London legt man großen Wert auf Tradition!«

»Sumpfige Rostbeule!«, sagten die Olchi-Kinder verwundert.

Pünktlichkeit war für sie fast so lästig wie Parfümgeruch. Obwohl sie es also eilig hatten, ließ Mister Mortimer das Taxi kurz an einem Fahrradgeschäft anhalten. Er wollte noch sein Versprechen einlösen und den Olchi-Kindern ihr Fahrradöl besorgen.

In der Great Portland Street kannte er ein Geschäft namens »Cycle Surgery«, und dort fand er genau das Richtige. Er kaufte fünf große Flaschen Kettenschmieröl »Oil of Rohloff« und außerdem noch zwei wunderbare Fahrradschläuche zum Knabbern für die beiden Olchi-Kinder. Das Taxi stoppte dann noch einmal am Museum, um Mister Mortimer abzusetzen.

Auch die Olchi-Kinder wollten hier aussteigen, denn der Drache Feuerstuhl wartete ja oben auf dem Hausdach auf sie.

»Muffelfurzteufel, es wird langsam Zeit, dass wir wieder zurück nach Hause fliegen«, sagten sie. »Wir freuen uns schon so auf unsere krötige Müllkippe!«

»Habt ihr etwa Heimweh?«, fragte Fritzi, die sich mit solchen Sachen ja gut auskannte.

»Beinweh? Wir haben nie Beinweh«, meinten die Olchi-Kinder.

Mister Paddock schlug vor:

»Aber bevor ihr abreist, kommt doch noch einmal in mein Büro. Ich denke, wir sollten noch einen letzten Tee zusammen trinken. Wer weiß, wann ihr mal wieder in London seid.«

»Ja, unbedingt!«, meinte auch Dumpy. »Und ihr müsst noch Verpflegung mitnehmen für den langen Flug.«

Das mit der Verpflegung überzeugte die Olchi-Kinder. Sie waren einverstanden, wollten aber trotzdem zuerst den Drachen Feuerstuhl vom Dach holen. Mister Mortimer schulterte seinen Müllsack und stieg mit den Olchi-Kindern aus dem Taxi.

»Wann bekomme ich das Geld für meinen Wettgewinn?«, rief ihm Mister Paddock nach.

»Gleich morgen bring ich es mit in den Club«, versprach ihm Mister Mortimer. »See you later!«

Die Olchi-Kinder begleiteten Mister Mortimer noch einmal in die Dinosaurierhalle.

Sie sahen ihm eine Weile dabei zu, wie er die langen Knochen geschickt wieder an dem Allosaurus befestigte, jeden am richtigen Platz. Alles passte, und Mister Mortimer schien einigermaßen zufrieden.

»Well, leider fehlt einiges unwiederbringlich«, seufzte er. »Werde den Rest wohl durch künstliche Plastikknochen ersetzen müssen.«

»Du kannst doch auch irgendwelche anderen nehmen«, überlegten die Olchi-Kinder. »Bei uns auf dem Müllberg liegen ganz viele schöne Knochen herum!«

Mister Mortimer lachte.

»Vielen Dank für den Vorschlag, ich werde es mir überlegen!«
Zusammen gingen sie hinauf in den obersten Stock, und
der Museumsdirektor öffnete das Dachfenster. Feuerstuhl
lag zufrieden schnarchend neben einer Satellitenschüssel.
»Aufwachen, Feuerstühlchen, es geht los!«, riefen die
Olchi-Kinder, und der Olchi-Drache schlug seine Glupschaugen auf.
Sie sagten Mister Mortimer Goodbye, kletterten auf Feuerstuhls schuppigen Rücken und gaben das Startsignal.
Der Drache stieß ein paar kräftige Stinkerwolken aus
und hob knatternd ab. Mister Mortimer winkte kurz,
machte dann aber schnell das Fenster zu.

Abschied im Büro

Mit Brauseweins Navigator fanden die Olchi-Kinder
Paddocks Büro sofort wieder.
Ein letztes Mal parkten sie ihren Drachen hinter den
Flaschencontainern und kletterten durch den Gully in
den olchigen Kanal.
Im Büro wischte Fritzi gerade mal wieder den Fußboden
trocken, denn durch den heftigen Regen war schon wieder Wasser eingedrungen. Zwar hatte es diesmal nicht die
Möbel weggeschwemmt, trotzdem stand das Schmuddel-
wasser einen halben Zentimeter hoch im Raum.
»Musst du denn immer alles aufwischen?«, hörte man
Dumpy meckern. »Ist doch schön, wenn's ein bisschen
feucht ist!«
Er stand im Handstand in einer Pfütze und versuchte
anscheinend gerade mal wieder, sich ein wenig zu ent-
spannen.
»Soll ich mir hier den Tod holen?«, brummte Fritzi. »Hab
sowieso schon wieder Schnupfen!« Sie warf ihren Putzlappen zur Seite und schleppte den fünften Wassereimer
an den Olchi-Kindern vorbei in den Vorraum. Hier gab
es eine Art Brunnen, der durch ein Eisengitter gesichert

war. Fritzi kippte das Wasser mit Schwung durch das Gitter.

»Warum fliegst du nicht mit uns zurück nach Schmuddelfing?«, schlug das eine Olchi-Kind vor.

Fritzi schnäuzte in ihr Taschentuch und sagte: »Aber doch wohl nicht auf eurem Drachen! Da nehme ich lieber ein Flugzeug. Außerdem möchte ich noch eine Weile hierbleiben, denn trotz allem ist es hier sehr interessant für mich. Bin ja mit meinen Forschungen noch nicht fertig.«

»Welche Forschungen denn?«, fragten die Olchi-Kinder.

»Olchi-Kunde«, erklärte Fritzi. »Ich möchte einfach alles über das Leben von Olchis wissen. Besonders die englischen Olchis sind doch sehr interessant, findet ihr nicht? Irgendwann werde ich vielleicht sogar ein Buch schreiben.«

Paddock hatte zum Abschied zwei Dosen Tee aus extra gammeligen Gräten vorbereitet, und die Olchi-Kinder setzten sich zu ihm aufs Sofa.

»Well, Fritzi will ein Olchi-Buch schreiben«, erklärte er.

»Sie denkt, dass es Leute gibt, die sich für so was interessieren.«

»Schleime-Schlamm-und-Käsefuß! Schade, dass wir nicht lesen können«, sagten die Olchi-Kinder.

»Na, dann lernt es!«, rief Fritzi und wrang ihren Putzlappen aus. »Das ist nicht so schwer. Ihr seid doch nicht auf den Kopf gefallen, oder?«

»Wir sind schon oft auf unseren Kopf gefallen«, meinten
die Olchi-Kinder. »Aber das hat uns gar nichts ausge-
macht.«

Während sie ihren Tee schlürften, dachten sie über
Fritzis Vorschlag nach.

Lesen war sicher etwas Krötiges, und zu Hause wollten
sie gleich mal mit Olchi-Opa darüber reden. Der wusste
immer über alles Bescheid, vielleicht kannte er sich auch
mit solchen Sachen aus.

Dumpy hatte seine Entspannungsübungen inzwischen
beendet. Er kam jetzt aus einer muffigen Abstellkammer
und schleppte etwas auf dem Rücken. Es war ein blauer
Müllsack, aus dem es olchig duftete.

»Mein Abschiedsgeschenk für euch. Londoner Spezialitäten!«, sagte er. »Erstklassiger Großstadtmüll!«
Die Olchi-Kinder freuten sich sehr darüber, und das eine Olchi-Kind gab einen knatternden Pups von sich, der klang wie ein olchiger Abschiedsgruß.
Nachdem Fritzi endlich mit den Trocknungsarbeiten fertig war, setzte sie sich noch einmal an den Computer und schrieb eine E-Mail an Professor Brausewein:

Lieber Herr Brausewein,
Herr Paddock lässt fragen, ob Sie ihm ein Gerät (vielleicht eine Brille?) bauen können, mit dem man durch Wände (insbesondere Eisencontainer) sehen kann.
Ihren Wunderschirm konnte er bereits testen, es war ein voller Erfolg. Das Geld dafür wird demnächst auf Ihr Bankkonto überwiesen.
Die Olchi-Kinder waren uns eine große Hilfe und machen sich jetzt auf den Rückflug. Bitte sagen Sie der Olchi-Familie Bescheid, dass sie demnächst nach Hause kommen werden. Denke, es wird nicht allzu lange dauern, denn ihr Drache scheint ein ausgezeichneter Flieger zu sein.
Wie immer olchige Grüße, auch von Mister Paddock und Dumpy
Ihre Fritzi

Endlich zu Hause

Wenig später waren die Olchi-Kinder auf dem Rückflug. Den Müllsack mit der Verpflegung und den Geschenken für die Olchi-Familie hatten sie mit einer Schnur an Feuerstuhls Hals befestigt. So hatten sie die Hände frei und konnten sich gut festhalten. Das war auch nötig, denn der Drache düste mit Vollgas durch den nächtlichen Himmel. Da er sehr lange geschlafen hatte, war er frisch und ausgeruht.
Inzwischen war es dunkel geworden, und die Lichter der Stadt unter ihnen sahen aus wie hunderttausend kleine Glühwürmchen.
Sie steuerten Feuerstuhl immer in Richtung Süden und hielten sich genau an Brauseweins Navigationsgerät, in dem die Position des Schmuddelfinger Müllbergs einprogrammiert war.
So flogen sie die ganze Nacht ohne Unterbrechung. Wieder war es eine angenehme Reise, denn sie hatten Rückenwind und glücklicherweise kaum Turbulenzen. Nur einmal gerieten sie in ein Luftloch, und Feuerstuhl sackte hundert Meter ab. Doch er war ein ausgezeichneter Flieger und hatte sich bald wieder im Griff.

Wenn ihnen vor Müdigkeit die Augen zufielen, dann
stupsten und kniffen sich die Olchi-Kinder gegenseitig,
um nicht einzuschlafen. Zwischendurch stärkten sie sich
mit Dumpys Reiseproviant, aber eine richtige Pause wollten sie nicht machen, denn viel zu sehr freuten sie sich
jetzt auf ihr Zuhause.

Als dann am Morgen die Sonne aufging, waren sie so
hundemüde, dass sie aufpassen mussten, nicht vom
Drachen zu rutschen.

Endlich sahen sie das kleine Städtchen Schmuddelfing
unter sich auftauchen.

Jetzt brauchten sie Brauseweins Navigator nicht mehr, denn den Weg hinüber zum olchigen Müllberg kannte Feuerstuhl auswendig.

Er streckte alle sechs Beine aus und landete punktgenau neben seiner Garage.

»Hallo! Hier sind wir wieder!«, riefen die Olchi-Kinder. Sie hüpften vom Drachen und schauten sich um. Von den anderen Olchis war nichts zu sehen.

»Beim Läuserich, wo seid ihr alle?«, riefen sie noch einmal.

Wieso war es hier so still? Wo waren denn die anderen Olchis?

»Hallooo, Stinkeriche! Wir sind wieder daaa!«, riefen sie noch ein bisschen lauter.

Irgendetwas stimmte hier nicht. Der ganze Müllberg wirkte wie ausgestorben. Nur eine Kröte quakte, und die vielen Fliegen surrten wie immer rastlos zwischen den Müllteilen hin und her.

»Grätziger Windbeutel, was ist denn hier los?«, wunderte sich das eine Olchi-Kind. »Wo sind sie nur alle?«

Sie schauten hinter den Kistenberg und hinter den Stapel mit den kaputten Elektrogeräten. Doch auch hier war niemand zu sehen.

Olchi-Papas Müll-Badewanne war leer, ebenso Olchi-Babys Kinderwagen, und auf Olchi-Opas rostigem Ofen hatte sich eine fette Kröte niedergelassen. Vor der Olchi-Höhle lag wie immer Olchi-Mamas Kochgeschirr, und auf der Feuerstelle stand einsam und verlassen der große Schmuddeltopf.

»Beim Käserich, der Topf qualmt noch!«, stellte das eine Olchi-Kind fest. »Sie können nicht weit sein!«

Es lief zum Höhleneingang und zog mit Schwung den Vorhang zurück.

Was für eine Überraschung!

Da standen Olchi-Mama, Olchi-Papa, Olchi-Opa und die Olchi-Oma, und alle grinsten über das ganze Gesicht.

»Reingelegt!«, rief Olchi-Papa.

Und dann sangen sie aus voller Kehle los:

> »Hühnerfurz und Küchenschaben!
> Schön, dass wir euch wiederhaben!
> Stinkerich und Läusemist!
> Wir haben euch schon so vermisst!«

Das wiederholten sie ungefähr fünfzehn Mal, und das kleine Olchi-Baby krähte dazu aus vollem Hals, so lange, bis Olchi-Oma ihm endlich seinen angekauten Schnuller-Knochen in den Mund steckte.

»Das Lied hab ich extra für euch gedichtet!«, erklärte Olchi-Opa stolz, als sich endlich alle wieder ein wenig beruhigt hatten.

»Woher habt ihr gewusst, dass wir heute kommen?«, fragte das eine Olchi-Kind.

»Professor Brausewein war gestern Abend hier und hat

164

uns gesagt, dass ihr sicher heute Morgen zurückkommt!«, sagte Olchi-Mama. »Ihr seid bestimmt todmüde. Seht ja schon ganz hellgrün aus!«

Doch die Olchi-Kinder fühlten sich jetzt gar nicht mehr müde. Sie setzten sich mit den anderen an den wackeligen Esstisch, und Olchi-Mama und Olchi-Oma servierten ihnen ein Willkommensfrühstück.

»Rülpst und pupst und haut kräftig rein!«, rief Olchi-Mama, und die Olchi-Kinder ließen sich das nicht zweimal sagen.

Lederige Schuhsohlen betupften sie mit Zahnpasta und würzigen Schlammbröseln. Auf holzige Brettchen strichen sie zähen Baumwurzelstampf. Dazu gab es Nägelsuppe, lauwarme Plastiktüten, knackiges Glühbirnenkompott und Kabelsalat mit eingelegten Nylonstrümpfen. Es war ein Festschmaus!

Die Olchi-Kinder fanden noch ein paar Fischgräten in ihrem Müllsack, und sie zeigten den anderen, wie man englischen Tee zubereitet. Dann erzählten sie alles, was sie in London erlebt hatten.

Nach dem Essen brachten sie dem Drachen ein großes Fass voll extrafeiner Schmuddelbrühe in seine Garage, denn das hatte er sich wirklich verdient. Jetzt, da alle wussten, dass Feuerstuhl ein echter Glücksdrache war, waren sie ganz besonders stolz auf ihn.

Dann bekamen alle ihre Fahrradöl-Mitbringsel, und besonders Olchi-Opa und die Olchi-Oma freuten sich sehr darüber.

»Was für ein schönes Gefurztagsgeschenk!«, rief Olchi-Oma. »Zufällig ist heute nämlich mein 3967ter Gefurztag!«

»Schon wieder?«, wunderten sich die anderen. »Du hattest doch erst letzte Woche zweimal Gefurztag!«

Olchi-Oma leerte ihr Fahrradöl-Fläschchen in einem Zug. »Wieso denn nicht?«, meinte sie. »Ihr Stinkerlinge, jetzt merkt euch endlich mal: Ich feiere meinen Gefurztag, wann ich will, sooft ich will und solange ich will! Das

Leben ist doch nur ein kurzer Furz. Und deshalb sollte
man im Grunde jeden Tag seinen Gefurztag feiern.«
Da hatte sie natürlich recht. Und so beschlossen auch die
anderen Olchis, dass sie heute alle zusammen Gefurztag
hatten.
Olchi-Opa stieg auf den Tisch und begann zu singen:

»Happy birthday to us,
happy birthday to us!
Wenn's regnet, dann werden
die Füße uns nass!

Happy birthday to you,
happy birthday to you!
Wir singen dir Lieder
und furzen dazu!

Happy birthday to me,
happy birthday to me!
Wir feiern Gefurztag
so schön wie noch nie!

Fliegenschiss und Olchi-Furz,
das Leben ist doch viel zu kurz!
Wir lieben Schlick und Schlamm und Schleim,
das Leben kann nicht schöner sein!

Wenn wir Stinkerbrühe trinken
und in Matschlöchern versinken,
fühlen wir uns muffelwohl,
das Leben ist doch wundervoll!

Muffelfurz und Müllberg-Schlecker,
Abfall schmeckt doch wirklich lecker,
Schleime-Schlamm-und-Käsefuß,
das Leben ist ein Hochgenuss!«

Verzeichnis der englischen Olchi-Ausdrücke
für Leser ohne Hörhörner

Namen der Figuren

Paddock	Kröte
Dumpy	dump = Müllhalde
Perry Pimple	Perry Pickel
Firebomb Jack	Feuerbomben-Jack

B	Bloody hell	Verdammter Mist
	Boggy devil	Sumpfiger Teufel
	Boggy sock	Sumpfsocke
	Boss	Chef
	Bullshit	Blödsinn
C	Careful!	Vorsichtig!
	Cheesy flyshit	Käsiger Fliegenschiss
	Cheesy sock	Käsige Socke
	Come on!	Los geht's!
	Cycle Surgery	Fahrrad-OP (Name eines Fahrradgeschäfts)
D	Dammit!	Verdammt!
	Dirty devil	Schmutziger Teufel

169

E	Excellent	Ausgezeichnet
F	Foul fart	Fauliger Furz
G	Gentlemen	Meine Herren
	Good aftelnoon	Englisch mit chinesischem Akzent. Steht für Good afternoon = Guten Tag
	Goodbye	Auf Wiedersehen
H	Hazy Lane	Nebelgasse
	Hello?	Hallo?
	Hello, my friend.	Hallo, mein Freund.
	Hing Loon – Seafood	Hing Loon – Meeresfrüchte
I	I'm Dumpy. Welcome on board.	Ich bin Dumpy. Willkommen an Bord.
L	Let's go!	Lasst uns gehen!
	Lousy weather	Sauwetter
M	My dear	Meine Liebe
N	Not bad	Nicht schlecht
	No problem	Kein Problem

O	Oh my God	Oh mein Gott
	Oh good heavens!	Ach du meine Güte!
	One moment, please	Einen Moment bitte
Q	Quick! Hurry up!	Schnell, beeilt euch!
R	Rotten rat	Faulige Ratte
	Rubbish	Blödsinn
	Rusty stinkpot	Rostiger Stinkertopf
S	Sacred sock	Heilige Socke
	See you later!	Bis dann!
	Sir	Mein Herr
	Slimy bones	Schleimige Knochen
	Slimy sock	Schleimige Socke
	Slithery slime	Schleime-Schlamm
	Smelly feet	Käsefüße
	Smelly fishbone	Muffige Gräte
	Smelly sock	Stinkige Socke
	Stinky pot	Stinkertopf
	Stinky sock	Stinkige Socke
T	That's incredible.	Das ist unglaublich.

V	Vely funny, Sil	Englisch mit chinesischem Akzent. Steht für Very funny, Sir = Sehr witzig, mein Herr
	Very interesting	Sehr interessant
W	Welcome on board	Willkommen an Bord
	Well	Nun, na ja
	Well, that's right.	Nun, das stimmt.
	What the hell …	Was zur Hölle …
	What?	Was?
	When?	Wann?
	Where?	Wo?
	Who?	Wer?
	Why?	Warum?
	Wonderful	Wunderbar
	Would you like some tea?	Möchtet ihr einen Tee?
Y	Yes	Ja
	Yes, boss; no, boss	Ja, Chef; nein, Chef
	Yes, indeed	Ja, tatsächlich
	Yes, please	Ja, bitte

Intergalaktisch gut!
Gustav Gorky, der Weltraumreporter!

Erhard Dietl
Gustav Gorky
(Band 1)
ISBN 978-3-7891-3324-4

Erhard Dietl
Gustav Gorky. Ein Roboter
dreht durch (Band 2)
ISBN 978-3-7891-3325-1

Gustav Gorky, Außerirdischer vom Planeten Gorky, soll eine Reportage über die Erdlinge verfassen. Wie merkwürdig die sind!

Ohne seinen Roboter hätte Gustav es leichter auf der Erde. Der dreht nämlich durch und bringt alles durcheinander.

Beide Bücher auch als

Oetinger

Weitere Informationen: **www.olchis.de**, **www.oetinger-audio.de**
und **www.oetinger.de**